G000270691

December '91

Miguel Delibes
Señora de rojo sobre fondo gris

To dear Paul,
With love from
Melle & Gorka

Miguel
Delibes

Señora de rojo sobre fondo gris

Ediciones Destino
Colección
Áncora y Delfín
Volumen 677

Consell de Cent, 425. 08009 Barcelona
Primera edición: septiembre 1991
Segunda edición: septiembre 1991
Tercera edición: septiembre 1991
Cuarta edición: octubre 1991
Quinta edición: octubre 1991
Sexta edición: octubre 1991
Séptima edición: octubre 1991
Octava edición: octubre 1991
Novena edición: noviembre 1991
ISBN: 84-233-2100-2
Depósito legal: B. 39.121-1991
Impreso por Printer industria gráfica, S.A.
C.N. II. 08620 Sant Vicenç dels Horts, Barcelona
Impreso en España - Printed in Spain

No ignoro que el recurso de beber para huir es un viejo truco pero ¿conoces tú alguno más eficaz para escapar de ti mismo? Una copa acartona el recuerdo, pero, al propio tiempo, convierte la onerosa gravedad de tu cuerpo en una suerte de porosidad flotante. Algo parecido a la fiebre. Pasado el trance, sobreviene el decaimiento, pero hay un medio para evitarlo: mantener en sangre una dosis de alcohol que te imbuya la impresión de que participas en la vida, de que la vida no pasa sobre el hoyo en que te pudres sin advertir que existes. Esta forma de energía suele identificarse con la alegría, aunque, por supuesto, no es la alegría. A lo sumo, una energía inferior, improductiva; en caso contrario, yo trabajaría. Pero mi ingenio, si alguna vez existió, se ha agotado; ya lo estás viendo: no soy capaz de embadurnar un lienzo, ni siquiera de sostener un pincel en la mano.

Hace una hora, cuando llegaste, miraba, como cada día, el camino de grava desde el escañil. Vi cruzar tu coche ante el tragaluz. Te estaba esperando. Alicia me lo comunicó ayer. Me dijo: Ha terminado la pesadilla. Los han soltado. Ana irá a verte mañana. A través de ese cristal llega hasta mí la apagada vida del pueblo: la hornillera, la actividad de las huertas, el monótono runrún del tractor del señor Balbino; el pastor con las ovejas... Todo lo que conforma mi vida actual se recorta cada mañana en el tragaluz. Lo miro todo; lo veo todo. Soy como Dios. La claraboya ya es otra cosa. Es ella la que me mira a mí, me ofusca con su luminosidad excesiva. Pero tu madre la quiso de esta manera: grande e inclemente para que no pudiera atribuir mis limitaciones a deficiencias de instalación. El problema era armonizar el gran chorro de luz con una casa campesina del XVIII. Había que insertar lo moderno en lo rural sin recurrir a la violencia. Una tarea adecuada para ella, puesto que uno de sus talentos radicaba en eso, en restaurar viejas mansiones sin afrentar al entorno; sin menoscabar la limpia estructura de la piedra y la madera.

De esta vieja casa, con dos siglos a cuestas, se enamoró hace años. Observaba apesadumbrada su ruina progresiva, su desmoronamiento. Desconocía a su dueño, pero un día alguien le informó que el último ocupante había sido un funcionario del Ministerio de Agricultura, un guarda forestal. Le desagradó la noticia. Las entidades la intimidaban. Prefería tratar con personas físicas. La burocracia la cohibía un poco, seguramente porque la burocracia se mostraba insensible a su encanto personal. Pero le atraía tanto esta casa que, cada vez que dábamos un paseo, se detenía ante ella, analizaba su original construcción, sin ladrillo ni cemento, sus entibos de roble sustentando las piedras de toba, el balconaje de hierro, los enjutos ventanucos al norte, con minúsculos cuarterones móviles. Una tarde se introdujo por el hueco de una puerta lateral y quedó prendada de la solidez de su fábrica: el envigado, los puntales, las sólidas zapatas, el entarimado de tabla ancha, con quejidos dolientes cuando se pisaba. No tengo más remedio que ir al Ministerio, me dijo al salir. Estaba literalmente deslumbrada. Al día siguiente, marchó a Madrid ella sola. No le agradaba implicar a nadie en sus veleidades; resolvía estos asuntos a su manera. De modo que me quedé en el refugio con tus hermanos, aguardándola. Regresó muy optimista: Todo resuelto, me dijo; tendrás tu estudio. Le pregunté si había comprado la casa, pero ella denegó con la cabeza. A menudo solapaba sus respuestas, con una reticencia burlona. Le gustaba sorprender; dar sorpresas y recibirlas. Los edificios oficiales no se venden, aclaró. Me quedé mirándola; no me parecía una respuesta convincente, pero ella añadió, como si fuera algo de dominio público: Se subastan o se permutan. Yo seguía encandilado con su sonrisa. Siempre admiré en ella su determinación, ese saber lo que quería, su manera de afrontar las cosas, aunque a veces, como en este caso, le desagradasen el papeleo y los oficialismos. Todavía parece que la estoy viendo, a la mañana siguiente, sentada en la estera del refugio, el vaso de zumo de naranja con que se desayunaba sobre un tajuelo, divertida de mi desorientación, su pequeña cabeza morena coronando su delgado cuello, firme y fragilísimo. He optado por la permuta, dijo en un falso tono de agente inmobiliario; compraré un prado en Villarcayo y se lo cambiaré al Servicio Forestal pelo a pelo por esa casa. Y así lo hizo. Adquirió un prado grande, suficiente para apacentar dos docenas de vacas, y lo permutó por la casa. La tarea no había hecho más que comenzar. Ahora había que apuntalarla, reconstruirla, restaurarla y amueblarla. Tenía entretenimiento para rato.

Dos semanas más tarde, de regreso en la ciudad, os detuvieron a Leo y a ti. Aún veo los dos rostros, inclinados sobre mi cama, la espantada mirada de Alicia, la diligente de tu madre, indicándome por señas que me quitara los tapones de los oídos. Yo me resistía. Me asusta lo que vais a decirme, dije. Sentía miedo; siempre temí las noticias de la madrugada. Aún veo los dos rostros acuciándome, la lámpara encendida sobre mi cabeza, la tulipa azul. Decídmelo por partes, supliqué. Ella asintió y entonces me saqué los tapones de los oídos. Su voz era tranquila: Han detenido a Ana y a Leo, dijo. Temía un golpe irreversible, y aquello no me pareció definitivo. Cada día detenían a docenas de universitarios y sabía que vosotros llevabais tiempo metidos en actividades políticas y Leo, concretamente, en el Frente Revolucionario. Dice Nicolás que a Leo le detuvieron al aparcar el coche en la Universidad; lo tenía lleno de panfletos contra el 1001. A Ana, en el laboratorio, poco después (iba añadiendo pormenores). Logré sentarme en la cama. Había conseguido dominar la limitación de mi pensamiento, incapaz de abarcar de una vez los diversos aspectos del problema. Reaccioné súbitamente y pregunté por la niña. Estaba con Nicolás y sus amigos, en el piso de San Julio. Inmediatamente mi cerebro entró en actividad. Vámonos enseguida, dije. Hay que impedir que les torturen. Era mi obsesión. Pero mientras me vestía, pese a que eran solamente las cuatro de la madrugada, tu madre ya andaba colgada del teléfono. Despertó a Indalecio Vicuña, su primo, falangista de la vieja guardia, a Mariano Gajate, coronel, hermano de Justo Gajate, el abogado del Estado, al fiscal Alonso

Cano, de los Cano de aquí, un viejo conocido. Todos recibieron su llamada como cosa natural. Éste era otro don de tu madre: tenía la facultad de inmiscuirse en casa ajena, incluso de interrumpir el sueño del prójimo, sin irritarlo, tal vez porque en el fondo todos le debían algo.

La semana pasada, en la ceremonia de ingreso en Bellas Artes, Evelio Estefanía, en su discurso de contestación, dedicó unas palabras a tu madre: Una mujer, dijo, que con su sola presencia aligeraba la pesadumbre de vivir. Un juicio definitivo. Con frecuencia me pregunto de dónde sacaba ella ese tacto para la convivencia, sus originales criterios sobre las cosas, su delicado gusto, su sensibilidad. Sus antepasados eran gente sencilla, inmigrantes del campo, con poca imaginación. ¿De quién aprendió entonces que una rosa en un florero puede ser más hermosa que un ramo de rosas o que la belleza podía esconderse en un viejo reloj de pared destripado y lleno de libros? El juicio de Estefanía era exacto: su presencia aligeraba la pesadumbre de vivir. A veces, bastaba su voz. Por eso ni Vicuña, ni

Gajate, ni Alonso Cano, tomaron a mal que los despertara a horas intempestivas: Lo que desazona a Nicolás es la posibilidad de que les torturen. La oía una y otra vez por el teléfono, como una cantinela. Más tarde, cuando bajábamos al coche, en el silencio de la madrugada, me confesó que el coronel Gajate le había dicho una cosa insólita, esto es, que la organización del estado policíaco había alcanzado tal perfección que ni el alto mando podía impedir ya la acción individual de un número. Me sorprendió esta confidencia. Desconocía en tu madre esta habilidad para tirar de la lengua.

Durante semana y media nos instalamos en vuestra casa, con la niña. El primer día su abuela la envió a la guardería y, al atardecer, mientras ella ordenaba el piso, yo me fui a buscarla. Todos los niños me parecían iguales y temía no identificarla, pero al pasar revista a los cochecitos, una niña con caperuza roja me sonrió. ¿Te das cuenta? Era ella, su misma sonrisa, la reconocí al instante. Pero, además, había algo misterioso en todo aquello, ¿cómo era posible que una niña de pocos meses identificara a su abuelo al que apenas había visto un par de veces en su vida?

Nicolás y sus amigos de San Julio nos traían noticas cada tarde. Tú habías pasado la noche, de interrogatorio en interrogatorio, en la Dirección General de Seguridad. Leo en una celda, con un magnetófono en la contigua, transmitiendo el llanto de una mujer. Pretendían hacerle creer que eras tú la que llorabas para doblegarle. ¿Te das cuenta del ardid? Les alarmaba el cariz que iba tomando el proceso 1001; que la calle se les fuese de las manos. De ahí mi miedo a la tortura, un miedo tan tenaz que me paralizaba. Ella era más práctica. Limpió el piso de papeles comprometedores, de modo que cuando a la tarde se presentó la policía no encontró nada, únicamente *El Capital*, una máquina de escribir y una escopeta de caza, con los papeles en regla, que se llevaron. Ése fue su botín.

A la mañana siguiente, tu madre había concertado una entrevista con Alonso Cano, el fiscal. Según me dijo, estuvo correcto pero distante. Le mortificaba que alguien pudiera admitir que los policías apagaran las puntas de los cigarrillos en la piel de los detenidos para hacerlos cantar. Ella comentó que ni lo creía ni lo dejaba de creer, pero era inicuo negarse a toda comprobación. Tal vez algún día tengamos que rendir cuentas por estas cosas, le dijo. Lo dejó caer como al desgaire porque sabía que Alonso Cano era muy religioso y aquella alusión a un juicio vago, inapelable, que bien pudiera ser el juicio final, iba a impresionarle, como así fue. Le prometió acelerar los trámites para pasarlos a la cárcel sin demora, donde vuestra integridad estaría más protegida.

Tu madre conservó siempre viva la creencia. Antes de operarla confesó y comulgó. Su fe era sencilla pero estable. Nunca la basó en accesos místicos ni se planteó problemas teológicos. No era una mujer devota, pero sí leal a los principios: amaba y sabía colocarse en el lugar del otro. Era cristiana y acataba el misterio. Su imagen de Dios era Jesucristo. Necesitaba una imagen humana del Todopoderoso con la que poder entenderse. Nada más conocernos me contó que en vísperas de su Primera Comunión, todo el mundo le hablaba de Jesús; sus padres, sus tías, las monjas de su colegio. Únicamente de

Jesús. Para poder recibir a Jesús tienes que ser buena, le decían. Sor Mariana de Todos los Santos hablaba, en cambio, de Cristo: Cristo confía en las niñas obedientes. Si Cristo te oyera decir mentiras se iba a enojar. De esta manera, me decía, identificó a Dios con Jesús, y ni la vida, ni las lecturas, modificaron luego su pensamiento. Y el día que comulgó por primera vez tuvo conciencia de que había comido a Jesús, no a Dios Padre, ni al Espíritu Santo. Cristo era el cimiento. En particular el Cristo del sermón de la montaña. Era la suya una fe simple, ceñida a lo humano; un cristianismo lineal, sin concesiones.

A los nueve años, tu madre tuvo un problema en torno a la integridad de Cristo en cada partícula de la hostia que dice mucho de su sensibilidad. Así, la primera vez que el capellán del colegio dividió una forma en cuatro fragmentos para dar de comulgar a cuatro compañeras rezagadas, ella lloró por la noche imaginando que don Tomás le había mutilado. Por complacer a sus amigas, le había descuartizado. A partir de ese día, cada vez que el capellán dividía una hostia en el cáliz, ella salía de la fila y regresaba a su banco sin comulgar. Una mañana, sor Mariana de Todos los Santos la reconvino. Ella adujo que deseaba recibir a Jesús entero, no una fracción, y la monja le aclaró entonces que Cristo estaba entero y verdadero en la partícula más pequeña de la hostia, incluso en las briznas que quedaban en el cáliz tras una comunión general. Tu madre asentía perpleja, turbada por única vez en la vida por una cuestión teológica. Sor Mariana de Todos los Santos ejemplificó su argumento: ¿No has entrado nunca en la caseta de los juegos de espejos? Pues es lo mismo. De la misma manera que tu imagen se refleja completa en cada uno de los espejos, así está Cristo en cada porción de la Sagrada Forma, le dijo. Aquello fue para tu madre una revelación de su poder. Cristo se multiplicaba a sí mismo lo mismo que en su día multiplicó los panes y los peces. Pero su imaginación cabalgaba más ligera. Y el día de la patrona del colegio, en la misa solemne, una hostia cayó en las gradas del altar y el capellán interrumpió la comunión, recogió la forma del suelo y la consumió. Luego, pasó un paño húmedo por la grada y se reanudó la ceremonia. Pero ella, desde la fila, no apartaba los ojos de aquella bayeta arrebujada a un lado del altar. ¿Qué pensaban hacer con ella? ¿Lavarla y escurrirla en el sumidero? Ella estaba viendo a Dios allí. ¿Pretendían ahogar a Cristo en las alcantarillas? Fragmentos infinitesimales del pan estaban impregnando la tela húmeda y en cada uno de ellos se encontraba Jesús entero y verdadero. Gritó «¡no!» y se desmayó. Las monjas la recogieron y la trasladaron a la enfermería. Quince días más tarde, su escrúpulo, que parecía indicio de una grave crisis, desapareció sin dejar rastro. No era, contra lo que parecía, una crisis neurótica sino exponente de una viva imaginación y una sensibilidad delicada. Ella era equilibrada, distinta; exactamente el renuevo que mi sangre precisaba. El episodio de Cristo en los desagües no alteró su serenidad ni afectó para nada a su fe. En su vida hubo siempre un sentido religioso.

Ahora recuerdo que en el 64, cuando impartí el curso sobre Velázquez en la Universidad de Washington, la señora Tucker, en cuya casa vivíamos, la llevaba de vez en cuando a confesar. La primera vez me sorprendió: ¿Qué puedes decirle al cura si no sabes hablar inglés? Ella reía, la chispa se encendía en sus ojos: Para que te absuelvan sobran las palabras. Si me acerco a un confesionario es porque tengo contricción, estoy arrepentida de mis pecados. No le faltaba razón. Además, yo no decía verdad cuando le atribuía una absoluta ignorancia del idioma. Lo chapurreaba. En cualquier lugar del mundo le bastaban unos días para hacerse entender. Su oído era algo fuera de lo normal. A menudo, a la mañana siguiente de haber visto una película, se presentaba en el estudio tarareando el motivo musical. Era como una grabadora. En una ocasión traté de hacerla ir más lejos y, al salir del cine, le pedí que repitiese el tema de fondo: Así no, me dijo, antes tengo que dormirlo. Tenía que dormirlo, ¿te das cuenta? Era al despertar, al día siguiente, cuando la música de la víspera, ya digerida, afloraba a sus labios. Su concepto del oído era muy singular. El buen oído tenía ramificaciones insospechadas: era el mismo indispensable para aprender idiomas, bailar o cojear. ¡Sus teorías! La primera vez que estuvimos en Alemania salía ella sola a hacer sus compras con una naturalidad pasmosa. En Washington, a los cinco días de llegar, conversaba con los negros reticentes en los autobuses. En París, en una fiesta de madame Labourtade, la amiga de García Elvira, se erigió en centro de la reunión, contó historias y, al final, tocó las castañuelas. A mí, que era su contrario, me maravillaba su capacidad de adaptación. Y cuando me rompí la pierna en las heladas del 71, concertaba tan mal las muletas que en lugar de andar, brincaba. Ella reía: Si haces de la cojera un problema mental acabarás rompiéndote la otra. Para ella, cojear airosamente era también cuestión de oído. Era el suyo un oído intuitivo que, a veces, le permitía captar lo inexpresado. En cierta ocasión, de jóvenes, resolvió el damero maldito de *La Codorniz* salmodiando un texto imaginario, sin otro apoyo que las comas, los puntos y los acentos. Siguió el camino inverso del habitual, es decir, averiguó las palabras de las definiciones a través del fragmento del damero. Llegó a la letra a través de la música.

Una mujer como ella podría haberse desenvuelto bien en cualquier actividad que requiriese imaginación, ritmo y sentido de la armonía. Pero odiaba la rutina, y fue inconstante en sus estudios; un día se cansó y dejó la carrera a la mitad. Alguien me atribuyó un papel en esta decisión, pero no es cierto. A ella le aburrían los libros de texto; desde niña le aburrieron. En este terreno se movía un poco en la quimera. Amaba el libro, pero el libro espontáneamente elegido. Ella entendía que el vicio o la virtud de leer dependían del primer libro. Aquel que llegaba a interesarse por un libro se convertía inevitablemente en esclavo de la lectura. Un libro te remitía a otro libro, un autor a otro autor, porque, en contra de lo que solía decirse, los libros nunca te resolvían problemas sino que te los creaban, de modo que la curiosidad del lector siempre quedaba insatisfecha. Y, al apelar a otros títulos, iniciabas una cadena que ya no podía concluir sino con la muerte. Sentía avidez por la letra impresa. Y me la contagió. Fue ella la que me aproximó a los libros, a ciertos libros y a ciertos autores. En realidad, me abrió las puertas de ese mundo.

Intercambiábamos textos sobre pintura. Yo solía discurrir sobre esquemas fijos mientras ella dejaba volar su imaginación y descubría conexiones que a cualquier otro lector, menos avisado, le hubieran pasado inadvertidas. Tu madre me llevó a Proust, a Musil, pero también a Robbe Grillet y un día me hizo ver que mi pintura describía pero no narraba, lo mismo que las obras del *nouveau roman*. Hallaba paralelos inquietantes y su facilidad para teorizar era tal, que cada vez que exponía una idea te sentías avergonzado de que no se te hubiera ocurrido a ti. Recuerdo que hablando una vez del constructivismo alemán y del dadaísmo los califiqué despectivamente de pasatiempos del arte, pero ella me replicó que el constructivismo integraba allí donde el dadaísmo desintegraba, de manera que era en el cruce de ambas corrientes donde podía producirse cierta confusión. Su intuición de los espacios, las formas y los colores, también hubiera hecho de ella una sagaz crítica de arte.

Por ahí se inició su admiración por Primitivo Lasquetti, el escritor maldito; una admiración inflamada, tutelar, aunque apenas le llevaría seis o siete años. Primo era un hombre independiente, que llamaba al pan, pan, y al vino, vino. Pero esto era sencillo, también podían hacerlo los mediocres: lo notable no es que llamara pan al pan sino que lo hiciera con agudeza, en la prosa más brillante del último medio siglo, conforme decía ella. Ningún otro crítico tuvo una visión tan personal del arte contemporáneo, emitió unos juicios tan divertidos y deslumbrantes; tan definidores. A mí me apreciaba Primo, nos entendíamos, pero, en nuestros espaciados encuentros, era ella la que llevaba la voz cantante, la que le buscaba las cosquillas hasta hacerle irritar, porque, según decía, era irritado cuando le salía la genialidad.

Admiraba sus ideas, la densidad de sus ideas, pero también la forma de expresarlas. Lo leía incansablemente; lo releía. Le daban de lado su cinismo, su procacidad, su desfachatez. La genialidad suele comportar estos inconvenientes, comentaba. Era tan intelectual su relación, tan por encima de lo vulgar, que jamás sentí celos de él. Ante ella hubiera sido siempre una torpeza mostrarme celoso, pero hacerlo con motivo de su admiración por Primo hubiera representado un error completo, una equivocación que tal vez nunca me hubiera perdonado.

Le conoció en la Biblioteca Nacional, la tarde que presentó una colección de libros de cuentos. El salón, como era lógico, estaba lleno de gente relacionada con la literatura infantil, pero la tesis que sostuvo Primo fue que los cuentos no interesaban en absoluto a los niños, que lo que los niños deseaban leer eran los libros que sus padres cerraban con llave en su biblioteca. Se armó un escándalo regular, pero ella se entusiasmó: Es más original de lo que me habías dicho, repetía. Un contradictor, eso es; un argüitivo, reía yo. Pero a ella le fascinaban las personas con su propio perfil, diferenciadas. Con el tiempo fue conociendo a Lasquetti, sus ocurrencias, su impiedad, su cinismo, sus sarcasmos, pero también su timidez, su sensibilidad que tan hábilmente disfrazaba de audacia. Es como si tuviera una cuenta pendiente con la sociedad, comentaba ella. Sus críticas, sus escritos, incluso los de mera ficción, recataban unas cargas de profundidad que hacían volar por los aires personas, prestigios e instituciones. Parecía complacerse en atraer odios contra su persona. Pero era fiel a los pocos valores que respetaba y a la amistad. Ella decía: Su desdén es sólo aparente; apenas una máscara. Ama a media docena de personas pero incondicionalmente; con todo su corazón. A veces se lo insinuaba y él respondía con su indiferencia estudiada: ¿Crees tú que hay más de media docena de personas en el mundo que merezcan ser amadas? Ella afirmaba convencida: La gente quiere despreciarlo pero no puede; es demasiado importante. Y tenía razón. Rara vez, en conversaciones sostenidas en círculos más o menos intelectuales, dejaban de mencionarlo. Y cada vez que esto ocurría se hacía una pausa, que los contertulios aprovechaban para mirarse entre sí con cierto recelo, pero el silencio duraba lo que tardaba en surgir el primer calificativo: Ése, lo que es, es un cabrón, decía uno. Y, tras la primera piedra, llegaba la lapidación inmisericorde: resentido, blasfemo, soberbio, desalmado... No había epíteto que no le fuera aplicado. Y, entonces, ella se alzaba en su defensa. Uno de los recuerdos más hermosos que conservo de tu madre es en su papel de abogada de Primo, sola, encendida, tenso el tendón de su frágil cuello, frente a la camarilla de inquisidores: Todas las personas singulares están llenas de contradicciones. Sorprendía su posición, el calor de sus palabras, que muchos atribuían a la indulgencia del inflexible Primitivo Lasquetti hacia mi pintura.

Cuando surgió el rumor de mi ingreso en Bellas Artes, de que alguien estaba dispuesto a presentar mi candidatura a la Academia, yo dudé si aceptarlo, consciente de mi escaso academicismo, pero ella, poco envanecida, me animó: Debes hacerlo y luego meter a Primo y César Varelli allí. Hay que rejuvenecer esa casa. El que no la conociera hubiera pensado mal, se hubiera burlado de mi incauta aprobación de aquella amistad con Primo, pero yo conocía el alcance de su relación, el juego estrictamente intelectual que se desarrollaba entre ellos. Ambos vibraban con lo bello; la diferencia estribaba en que mientras el sentido de la belleza no rebasaba en Primo la esfera del arte, tu madre *descubría* la belleza en las cosas más precarias y aparentemente inanes. Y donde no existía, era capaz de crearla rompiendo con los valores establecidos, asumiendo todos los riesgos.

Y, sin embargo, ella no admitía que esto fuera un don, que el resto de los mortales no fuésemos capaces de llegar donde ella llegaba. Es decir, si yo le hacía un regalo, no sólo aspiraba a que la sorprendiera sino a que la sorpresa fuera de su gusto. Pretendía que el objeto que, de repente, le apetecía, se me ocurriera regalárselo a mí. Esto le parecía natural, cuando tan difícil era. De ahí que cada vez que me equivocaba (que era con mucha frecuencia), por debajo de su aparente satisfacción, se traslucía un punto de desencanto, quizá no tanto por la futilidad del regalo como por mi falta de discernimiento. No comprendía mi torpeza. Ella entendía que, siendo un artista sensible, mi fracaso a la hora de distinguir lo bello de lo feo carecía de justificación; era simple pereza mental. Es pura pereza mental, me decía. Pero bien sabe Dios que no era pereza mental. Yo la amaba tanto que hubiera sacrificado la falange de un dedo por acertar, siquiera una sola vez en la vida. Que, al menos una vez, ella, al recibir mi regalo, hubiese pensado: Dios mío, esto es lo que más deseaba del mundo. Pero esto no llegó a producirse; era una aspiración imposible. Conformar mi ineptitud con su buen gusto, seguir el vuelo de su fantasía, sobrepasaba mi perspicacia. Ella se resistía a orientarme y yo era incapaz de hallar por mis propios medios algo que la complaciera. El problema era insoluble, de modo que cada vez que le regalaba alguna cosa, lo hacía cohibido, porque, aunque ella fingiera satisfacción, yo intuía que una vez más me había equivocado; que *aquello,* como los regalos precedentes, acabaría encerrado en un oscuro cajón, o desaparecería de casa sin dejar rastro.

A poco de casarnos, por los años en que tú naciste, todavía no había perdido la esperanza de acertar. Anhelaba sorprenderla y, cada vez que callejeábamos juntos, vigilaba su expresión ante las vitrinas de los comercios, escuchaba sus comentarios con Verónica, observaba a las mujeres que admiraba; todo inútil. El error volvía a producirse. Mis pesquisas no servían de nada, de modo que, a medida que transcurrían los años, iba encontrándome más sobrante y paradójico. Y así siguieron las cosas hasta que llegasteis vosotras. Fue preciso que crecierais, tú, Alicia, la pequeña Mar, para hallar una solución. Con vuestra asistencia apenas había riesgo de equivocarse. Disponíais de información y, a falta de ella, estaba la intuición. Entre ella y vosotras existían vías de comunicación invisibles, una corriente por la que os transmitía sus vibraciones ante lo bello. Pero, ¿por qué misteriosos caminos le llegaron a ella estas vibraciones?

Tu madre abandonó los estudios por propia voluntad. Le irritaban la estructuración de la carrera, los profesores adocenados, las ideas impuestas. Su cabeza caminaba muy deprisa, iba por delante de la de sus mentores. Aprobó fácilmente los dos cursos comunes pero ahí se plantó, se negó a continuar. Ese mismo año terminé yo Bellas Artes, pero seguía sin vender un cuadro. El título significaba la culminación de una etapa académica, pero únicamente eso. Carecía de medios de vida; no ganaba una peseta. Pero el hecho de que tu madre abandonara la Universidad fue ajeno a todo eso, a mi carrera, a la prisa por casarnos. Para ella, una sanción oficial de sus conocimientos a los veinte años resultaba irrelevante; no le daba importancia. Lo importante era tenerlos, tener esos conocimientos quiero decir. Si ella hubiese deseado titularse, mi resistencia no hubiera servido de nada. Con el tiempo pensó de otra manera y a vosotras, por ejemplo, os orientó hacia la Universidad. Una paradoja. Ella contaba con gracia este capítulo de su vida pero nunca, en las diversas versiones que la oí del mismo, figuré yo como responsable.

De proponérselo, hubiera sido una gran fabuladora. Narraba las cosas con ingenio; sus digresiones eran tan divertidas como el tema central, pero nunca se perdía; iba y volvía, graduaba el interés, demoraba el desenlace, remedaba a los personajes. Daba igual que relatase una historia prolija que un breve trayecto en autobús. De todo sacaba partido, lo animaba con tal magia que era imposible sustraerse a su hechizo; hubiera sido capaz de sostener la atención del auditorio durante semanas. Pero, al margen de sus dotes de observación, creaba; tenía una imaginación espumosa. A menudo traté de animarla para que escribiese algo, pero ella me oía como quien oye llover, se burlaba de mí. ¡Me hubiese gustado tanto que lo intentara!

Recuerdo que cuando os detuvieron, a Leo le atribuían un cargo en el Frente, tesorero, secretario o qué sé yo, imputación que, de confirmarse, hubiera agravado su pena. Intervinieron vuestras cuentas en los Bancos y denunciaron dos partidas que consideraban sospechosas. Una mañana, tu madre dejó a la niña en la guardería y marchó al Tribunal de Orden Público a entrevistarse con el juez instructor. Aunque tenía fama de desabrido, se mostró receptivo con ella, la escuchó. Sin conocerle, le explicó la procedencia de aquel dinero y, al parecer, le envolvió: El aspecto económico del problema está resuelto, señora —terminó admitiendo el instructor—, a ver si tenemos la misma suerte con el político. Acudimos a las cárceles respectivas a daros la buena noticia. ¡Oh Dios, qué duras aquellas mañanas de invierno en Carabanchel! Aquellas amanecidas ominosas, la luz crepuscular en el gran patio gris, la bruma polvorienta sobre Madrid, cientos de visitantes a la espera y el carcelero voceando nuestros nombres: ¡Nicolás, Ana, Alicia, Martín, Paula, Basilio...! No teníamos apellidos. Era indigno, pero tu madre no se sentía vejada: Vamos, ¿no oís?, somos nosotros, reía. Desfilábamos por un pasillo de guardianes, entre barrotes... Aquel olorcillo de la cárcel...Caminábamos de uno en uno, como borregos, de uno en uno, la tarjeta de identidad en la mano, tu madre sonriendo, derramando optimismo entre los presos que iban apareciendo en las jaulas de la galería cada vez más delgados y mates. Y Basilio, tu cuñado, desde el centro de la galería, eufórico, saludaba a todos. Y los reclusos le respondían: Buenos días, Basilio. ¿Cómo van las cosas, Basilio? Y los policías y los carceleros, apocados, se hacían los desentendidos, aquejados de un sentimiento de culpabilidad.

A pesar de los alardes de tu cuñado, de las voces familiares de los detenidos, de la desmoralización de sus guardianes, aquel ambiente me oprimía. Me quedaba inmóvil, encogido, mudo. No encontraba una palabra de aliento. En cambio ella se aproximaba a vosotros con una nota en la mano. Un guión para aprovechar el tiempo, decía. Os hablaba ordenadamente sobre la niña —sus comidas, su plan de vida, su próxima visita—; luego, de sus entrevistas con el juez, con vuestros amigos, con los compañeros de Universidad... Los últimos minutos los dedicaba a frivolizar, mientras los guardianes vigilaban por detrás de las jaulas, aburridos, un poco intimidados. Algunas veces, al concluir las visitas, íbamos a ver a Primo, a Primitivo Lasquetti, interrumpiéndole la tarea matutina. Les van a meter un montón de años, vaticinaba. Hoy día las chiquilladas se pagan caras; las revoluciones no se hacen con aficionados. En realidad no acudíamos a él para consultarle, pero le escuchábamos porque sabíamos cómo las gastaba; conocíamos de sobra su modo de ser. Y ¿quién es la detenida, la guapa?, preguntaba de pronto. Tu madre se sentía lastimada, erguía su flaco cuello: Ninguna de mis hijas es fea. Él la miraba atentamente, desde detrás de la máquina de escribir, por encima de las gafas: Verdaderamente no tienen motivo. Bajaba los ojos y reanudaba el tecleo: Disculpadme; voy a terminar esto antes de que llegue el motorista, decía. Y allí, con nosotros delante, Primo terminaba su crítica, con la misma concentración que si estuviera solo. Ya le conoces. Es un tipo sobrado. Cada vez que le hablo del estiaje del creador suelta la carcajada. No cree en esas cosas.

Tu hermana me telefoneó ayer anunciándome tu visita. Me dijo que estabas bien, quizá un poco baja de color; tampoco la cárcel es el lugar idóneo para curtirse. Y, bien mirado, peor podría haber sido. Estas cosas vas viendo cómo se enredan, pero es imposible predecir cómo van a terminar. Recuerda tu desmoronamiento de los primeros días: A Leo se le va a caer el pelo, decías. ¿Te acuerdas? Tampoco los de San Julio eran optimistas: Son demasiados cargos; la organización del Frente, la copiadora del chalé, las cajas de octavillas... ¡Menos de seis años, nada! ¡Dios mío, seis años! En aquellas sombrías reuniones, era ella la única que aportaba un poco de esperanza. Ese hombre no va a ser eterno, recuerdo que dijo la primera vez. Lo dijo serenamente, sin encono. Dijo únicamente *ese hombre*. No se ensañó, pero, inconscientemente, al despojarle de sus títulos, lo apeó del pedestal, le arrancó las medallas del pecho, lo desnudó. Pero, además, fue la que dio en el clavo. Ese hombre no fue eterno. Incluso cuando especulábamos en San Julio sobre vuestros años de condena ya estaba herido de muerte. En cambio, lo suyo no lo previó tu madre. Se sentía fuerte, entonces, con buena salud, y sabía que era necesaria. Alicia y Mar dicen que ya, por entonces, la encontraban delgada. Pero, ¿estuvo alguna vez gruesa tu madre? Odiaba las grasas, ya lo sabes. Le repugnaban. Esto formaba parte de su culto a la belleza. Admitía cualquier cosa antes que engordar un quilo. ¡Era tan armoniosa su figura! ¿Cómo pudo criar tantos hijos sin echarla a perder? Ella decía que el tamaño del pecho nada tenía que ver con su fertilidad y, obviamente, le sobraba razón. Nunca la deformó la maternidad. Se le abultaba el vientre, tal vez una pizca los pechos, pero, con la ropa suelta, el embarazo apenas trascendía. Encinta de Pablo, el más grande de todos, la piropearon un día en la calle un mes antes de dar a luz. Llegó a casa desconcertada: Me han gastado una broma cruel. ¿Cómo puedo estar atractiva en semejante estado?, decía. Pero lo estaba; estaba atractiva. En ella, el embarazo era escuetamente un vientre, no afectaba para nada al resto del cuerpo. En nueve meses engordaba siete kilos, pero una hora después de dar a luz pesaba lo mismo que el día que quedó encinta. Ella se sentía orgullosa de su vientre, de su comportamiento. Alojaba criatura tras criatura sin protesta; no se aflojaba, no se fruncía. Tras el parto volvía a su tersura normal, ligeramente hundido entre los huesos de las caderas, resumido, el ombligo como única referencia. Nunca se resintió su figura a causa de un hijo. Los pliegues, la celulitis, las grietas, nada tenían que ver con ella. Así cumplió 48 años, tan grácil y atractiva como cuando la conocí en el parque, a los dieciséis.

Desoí las advertencias de Alicia y Mar. Claro que estaba delgada, pero ¿cuándo no lo había estado? Alicia iba a casarse unos meses después y recuerdo la actividad de tu madre en esa época; no dejaba un cabo suelto, no paraba. Tu hermana decía a veces: Hay días que no puedo seguirla. Tímidamente sugerí la idea de aplazar la boda hasta que se resolviese lo vuestro, al menos hasta que se celebrase el juicio, pero ella se opuso: Nadie tiene derecho a condicionar la vida de nadie. No obstante, fue la niña la que llenó su vida durante esos meses. Nunca imaginé que el primer año de un bebé tuviera que ajustarse a unas pautas tan delicadas. Para mí, el primer año de vida de un ser humano se resumía en tres momentos decisivos: los primeros balbuceos, el primer diente y los primeros pasos. Iniciarse a hablar, a comer y a andar. Ése era todo el aprendizaje. A mi entender, un niño sano no podía facilitar otras noticias que ésas. Pero junto a tu madre aprendí que el proceso evolutivo de un niño estaba lleno de matices. ¡Cuánta minucia, cuánta sutileza! Recuerdo las cartas que te dirigía a la cárcel con sus descubrimientos: «La niña sigue mi dedo con los ojos; ya sabe mirar», «la niña tiende los brazos cada vez que me acerco a la cuna», «por primera vez hoy sonrió inducida por un objeto inanimado, un perrito de peluche». ¡Tantas cosas inimaginables! Paralelo a su desarrollo estaba su vestuario: sus jerseis, sus faldones, sus capotas, sus botitas.

Cada vez que te la llevaba a la cárcel la cambiaba de indumentaria. A la visita siguiente comentabais sobre lo que la favorecía y lo que no la favorecía. Recuerdo que un día decidió quitarle los faldones y te la envió con las piernecitas al aire. No le di mayor importancia a la novedad pero tu recibimiento el lunes siguiente fue clamoroso: voces, risas, bromas; no parabais de hablar; ¡hasta aventurabais juicios sobre la conformación futura de las piernas de la niña! Nunca, imagino yo, un ser tan pequeño produjo entre los adultos una conmoción tan grande.

Nada de esto impedía a tu madre atender sus obligaciones como secretaria. Conocía mis compromisos, mis deseos y caprichos; seguía mi vida tan puntualmente que rara vez me consultaba antes de responder a una carta. Procuraba desbrozarme el camino para que yo trabajase despreocupado: Lo tuyo es pintar, solía decirme. Por encima de premios y honores, del juicio de los críticos, era su fe lo que me animaba. Y cuando la Academia votó mi ingreso en su seno, ella se mostraba radiante. Decía: Cada mañana, al despertar, me pregunto: ¿Por qué tengo que estar contenta? Y ella misma se contestaba: ¡Ah, sí, la Academia! Le preocupaba mi discurso, el tema, su extensión. Se interesaba por la confección del frac, la camisa, los zapatos. En cualquier caso sabía lo que me convenía; lo que procedía hacer. Se relacionaba con los marchantes, con las galerías directamente. Para ella, un cuadro era un mundo independiente y, en consecuencia, cada uno requería una posición, una luz, una altura. De ahí que organizarme una exposición constituyese un arco de iglesia. Pero ella no se amilanaba. Gozaba con las dificultades y sospecho que, fuera de sus fantasías adolescentes, nunca tuvo otras aspiraciones. ¿Que le sobraba talento para haber abordado una actividad más personal? No lo dudo, pero puedo asegurarte que yo no la coaccioné para que no lo hiciera. Lo nuestro fue una especie de convenio tácito, con ciertas vacilaciones al principio, pero definitivamente implantado tras la medalla del Salón de Otoño. Ese premio nos cambió la vida. Trajo consigo un despegue y una ampliación de horizontes, que nos indujo a preocuparnos más de mi trabajo, nuestros hijos y nuestro dinero. Ella asumió esta tarea espontáneamente, sin imposición de nadie. Y si yo no le pedí la gestión de nuestras cosas, tampoco consideré machista avenirme a que lo hiciera. La nuestra era una empresa de dos, uno producía y el otro administraba. Normal, ¿no? Ella nunca se sintió postergada por eso. Al contrario, le sobró habilidad para erigirse en cabeza sin derrocamiento previo. Declinaba la apariencia de autoridad, pero sabía ejercerla. Cabía que yo diese alguna vez una voz más alta que otra pero, en definitiva, ella era la que en cada caso resolvía lo que convenía hacer o dejar de hacer. En toda pareja existe un elemento activo y otro pasivo; uno que ejecuta y otro que se allana. Yo, aunque otra cosa pareciese, me plegaba a su buen criterio, aceptaba su autoridad. A sus amigas solía aconsejarlas evitar los encuentros frontales, un sabio consejo. El aspecto formal de la lucha por el poder durante los primeros meses de matrimonio se le antojaba grotesco, por no decir de mal gusto. Creía que el hombre cuida la fachada, y declina la dirección; pero entendía que algunas mujeres ponían, por encima de la autoridad, el placer de proclamarlo, esto es, aceptaban el poder, pero sin ocultar cierto resentimiento. Por supuesto, ella era de otra pasta. Y si entre nosotros no hubo un explícito reparto de papeles, tampoco hubo fricciones; nos movimos de acuerdo con las circunstancias. ¿Si hubiese aceptado yo un segundo plano, trastocar los papeles, ella arriba y yo abajo, ella a la vista y yo detrás, en la penumbra? Nunca me lo planteé; tu madre estaba tan embebida en sus problemas, que su primera preocupación cuando se le manifestó la enfermedad fueron sus hijos, qué sería de vosotros el día que ella faltase. A Alicia se lo confesó un día: Soy tan tonta, le dijo, que he llegado a creerme que era yo la que ganaba el dinero.

Pero el dinero no era todo en nuestras vidas. Anteponíamos otras cosas: familia, proyectos, amigos. Éste era su terreno. Evelio Estefanía me anticipó que, en su discurso de recepción en la Academia, iba a aludir a esta cualidad suya, pero, ante las circunstancias, hubo de cambiarlo. Ella había muerto en el intervalo. Entonces dijo esa gran verdad de que, con su sola presencia, aligeraba la pesadumbre de vivir. ¿Puede decirse de alguien algo más hermoso?

El día que tú le pediste unos papeles para renovar tu contrato en la Universidad, ella se apresuró a llevártelos a la cárcel, pero los celadores se negaron a admitirlos: Una reclusa no tiene nada que firmar salvo su declaración. ¿Por qué su hija, en lugar de meterse en líos, no se va a la Gran Vía a mover el culo?, le dijeron. La zafiedad la humillaba hasta extremos indecibles. Al salir de la cárcel se metió en un portal, para llorar a gusto. Pero allí mismo, entre lágrimas, decidió no rendirse a la brutalidad y, tan pronto llegó a casa, firmó los papeles por sí misma, imitando tu letra, y los entregó personalmente en la Universidad. Ni el grafólogo más exigente hubiera advertido la suplantación. Tu madre sonreía divertida. No le remordía la conciencia. Delitos eran violar, matar, robar; la firma indebida de documentos era para ella un simple pasatiempo.

Ante mi temor de que os torturasen, visitó de nuevo a Alonso Cano, el fiscal. Cano, de estudiante, estuvo enamorado de ella y le hablaba con una suficiencia rebuscada: Parece mentira que una mujer como tú se crea esas mendacidades de los malos tratos, le decía. Los estudiantes se autolesionan para desprestigiar a la policía. Tu madre, más que por ti, temía por Leo; estaba más comprometido. Alonso Cano la desconcertó: ¿Te gustaría hacerle una visita para comprobar que no te engaño? Sí, claro que me gustaría, le respondió. Y allá nos fuimos los dos una tarde, a la prevención, una oficina siniestra, llena de polvo y expedientes. Y, tras unos minutos de espera, entró Leo maniatado, ceniciento, y charlamos, sentados sobre unos cajones, bajo la vigilancia de un policía cerril. Me sentía enfermo, pero antes de marchar le pregunté con disimulo si le habían maltratado. Lo negó y yo me tranquilicé. Hacía cuatro días que os habían detenido y pensé que el momento más crítico había pasado ya. Pero bien fuese porque así lo tenían dispuesto o porque a aquellos tipos les fastidió nuestra visita, lo cierto es que esa misma noche le golpearon hasta que perdió el conocimiento. Por Nicolás y los de San Julio nos enteramos de la tortura. Tu madre escribió una carta a Alonso Cano pero nunca tuvo contestación. Automáticamente quedó clasificado como *indecente.* Juzgaba a las personas con un criterio primario: decentes o indecentes, pero ser catalogado como indecente suponía únicamente que había perdido su confianza. No iba más allá, era incapaz de rencores; menos aún de rencores vitalicios. La aburrían. Durante los primeros meses de matrimonio, cada vez que discutíamos, se ataba un hilo al dedo meñique para recordar que estábamos enfadados. Luego lo olvidó; llegó a olvidar incluso la razón por la que se había atado el hilo. Era muy desmemoriada. En nuestros viajes iba regando los hoteles de objetos de uso personal: jerseis, blusas, un peine; rara vez las cosas que acababa de adquirir. Éstas, no las guardaba en las maletas, las llevaba a mano, en el asiento posterior, y de vez en cuando las extendía sobre su regazo para contemplarlas. Había en ella una suerte de deslumbramiento infantil ante lo nuevo-bello que rayaba en fetichismo.

A las leves incomodidades que originaba su mala cabeza no les daba importancia. A veces salía de casa sin dinero y, al advertirlo, montada ya en el autobús, sugería al cobrador pagarle el billete con un cheque. El hombre, naturalmente, se sorprendía. ¿Un cheque por dos reales, señora? Ella agregaba con cierta lógica: A no ser que prefiera un sello; he olvidado el monedero. El cobrador, cada vez más desconcertado, advertía que la Compañía no admitía sellos, y que tendría que apearse. Tu madre, entonces, apelaba a la solidaridad de los viajeros: ¿Habrá alguien tan amable, decía, que pueda prestarme dos reales para el autobús? Y, súbitamente, se producía la fascinación colectiva, aquel movimiento de adhesión que despertaba su presencia. Veinte manos, con veinte monedas, se alargaban hacia ella diligentes, desprendidas. Y ella tomaba una, daba las gracias y la entregaba al cobrador, quien, un tanto achicado por asimiento tan unánime, balbuceaba: Discúlpeme, señora, pero las normas de la Compañía son las normas de la Compañía. Yo no puedo hacer otra cosa.

En vísperas de operarla, en la habitación de la clínica, me confesó que sólo había una persona en el mundo por la que hubiera sentido inquina: D. Federico Corral, el administrador de la casa. Sus pleitos con don Federico solían producirse de año en año con motivo de pequeñas modificaciones en el piso. Ella se mostraba extrañada de la negativa cuando la obra redundaba en beneficio del inmueble, mientras don Federico alegaba que el proyecto alteraba su estructura. Esto de reformar los pisos donde vivía era en tu madre una auténtica dependencia, como puede ser en otros la droga o el alcohol. No sabía vivir sin ello. La casa más bella y mejor construida era susceptible de ser mejorada. A veces, la innovación era tan arbitraria, tan traída por los pelos, que ni ante sí misma acertaba a justificarla. Mas el final de la pugna nunca variaba: el administrador cedía a condición de doblar la renta. Tu madre clamaba, se indignaba, vivía una semana como si hubiera desistido del proyecto pero, al cabo, llamaba a los operarios y se ponía manos a la obra. Su marca será difícilmente superable: en siete años, hasta que tuvimos piso propio, nos doblaron la renta tres veces. Sus debilidades arquitectónicas, estando Leo y tú en la cárcel, las satisfizo con esta vieja casona. Venía, al menos, una vez por semana y, si hacía buen tiempo, se traía con ella a la niña y a algún estudiante para que la vigilara. Su quehacer inicial fue raspar la cal y el yeso, descubrir piedra y madera con objeto de ennoblecer los interiores. Rastreaba vigas y arcos con apasionamiento de arqueólogo: Pique aquí, Teodoro, por favor, le decía al albañil. Rara vez ordenó dar un mazazo inútil. Exhumaba sillares, arcos de dovelas, entibas de roble, gruesos dinteles de nogal... En las tres habitaciones delanteras, al picar el techo, apareció el primitivo artesonado que ella limpió amorosamente con aceite de linaza, poniendo especial esmero en los puntales y zapatas que lo sostenían. Pero donde concentró todo su entusiasmo fue en la cocina que acabas de ver. Estaba ilusionada con ella. Incluso en Yeserías, donde no solía perder el tiempo en bagatelas, creo que te habló una vez de la cocina. La dichosa cocina llegó a ser para ella una idea fija. En torno al hogar, que dejó intacto, rehabilitó casi todo, techo, planta y tabiques; incluso recompuso los desportillados azulejos que ceñían el fogón, encargando algunos fragmentos a una cerámica de Puente. Aquello fue la obra de El Escorial.

Pero había que ambientar los rincones, *calentarlos,* como decía García Elvira. Con este propósito fue adquiriendo cazos, calderas y otros enseres de cobre en los pueblecitos vecinos. Pocas veces recurría a los anticuarios. Le divertía descubrir los viejos cachivaches por sí misma. En Caniseco, había un prendero que llamaba a estos chismes *chichirimundis.* Y a cuenta de ellos tu madre entró en conflicto con los baratillos de la capital, que la censuraban *estar tirando el mercado.* Mas cuando discutían, llegaba a desconcertarlos: ¿Por qué los campesinos desconfían de su palabra y no de la mía? ¿Por qué en todas partes, antes de vender un dedal a uno de ustedes me avisan a mí? Callaban. Se miraban entre sí y no decían palabra.

La ornamentación de la casa fue avanzando muy deprisa. Aparte los *chichirimundis,* tu madre halló otra fuente de decoración en el Obispado, pinturas y tallas sin valor pero plásticas y sentimentales. Todos estos angelotes barrocos, fragmentos de retablos, santos de palo, litografías, y cuadros de época proceden de allí. Mas faltaba lo verdaderamente peliagudo: amueblar la casa en un estilo adecuado.

En los alrededores, encontraba alguna insignificancia: aguamaniles, mesillas de noche, atriles, escabeles... Pero todo ello, reunido, no hacía bulto; en una casa de tres pisos ni se veía. No obstante, hablando con unos y otros, se informó de que una tal doña África, familia de indianos, agonizaba en Linaza, una aldea próxima. Cuando conectó con los herederos ya la habían enterrado y estaban restaurando la casa a base de formicas, aglomerados y otros materiales más modernos, pues la pobre tía África vivía en la edad de piedra, dijeron. Tu madre se interesó por el destino de los muebles. Unos irán a los baratillos y otros a las hogueras de San Juan. O ¿es que le gustan a usted? Entonces sugirió quedarse con el lote por un tanto alzado y en seguida llegaron a un acuerdo. Te parecerá mentira, pero estas camas de hierro de bolos dorados, otra pareja de cabeceros pintados, la de barco, donde vas a dormir, una mesa de roble de tres metros, de una pieza, las sillas a juego, dos librerías encristaladas, una cómoda de nogal, un canapé, ese reloj de ojo de buey, la consola, y el resto del mobiliario fueron tasados por ellos en cincuenta mil duros, en el convencimiento, además, de que la estaban engañando.

Disfrutó mucho con estas adquisiciones. Veía más allá que el común de los mortales. Tenía el ojo enseñado a mirar; nació con esta intuición selectiva. Este estudio donde estamos, cuya existencia no trasciende al exterior, lo sacó de su cabeza. El entarimado de enebro, la entreplanta con los caballetes, el techo revestido, y la gran claraboya invisible desde la carretera, fueron cosa suya. Me conmovía su confianza en mis posibilidades. Imaginaba que si había destacado *pintando en cualquier parte,* haciéndolo adecuadamente podría llegar a ser un genio. Abordó la obra guiada por dos objetivos fundamentales: recogimiento y luz. Para conseguir lo primero forró la buhardilla de corcho y en los tragaluces y las vidrieras puso doble cristal. Pero la luz era todavía más importante. A su juicio, disponiendo de luz, todo lo que el artista guardara dentro terminaría por aflorar. Mas había que conseguir esa luz sin que la claraboya se divisara desde fuera. La comodidad del artista era esencial, pero lo era aún más la estructura de la casa.

Entonces ideó esta linterna, para que la claridad procedente de las vertientes ocultas del tejado inundara el estudio sin hacerse visible desde el exterior. Un verdadero hallazgo arquitectónico.

Empeñó en esta obra toda su imaginación y consiguió lo que se proponía: una luz blanca, sin sombras, como si yo trabajara bajo los focos de un estadio; y mucho silencio. Disponía de toda la luz del mundo y de un silencio de camposanto, de tal manera que, si en adelante no pintaba *Las Meninas,* mi capacidad creadora quedaría en entredicho. Un desafío insoportable. A veces pienso que fue esta condición la que me inutilizó el verano pasado, cuando lo estrené. Ella había empezado a notar molestias en el hombro, la niña estaba alicaída esos días no sé por qué, tu hermano Gus enfermó de hepatitis, vosotros en la cárcel... Había cosas que no marchaban en casa, que me alteraban, pero la verdadera razón de mi impotencia creo que radicaba en un exceso de bienestar, en el hecho de saber que disponía de un estudio sumamente confortable y si no pintaba algo singular sería por falta de aptitudes. Lo tenía todo; hasta tu madre se me brindó como modelo, aunque sabía que esta colaboración era inútil; terminaría, como de costumbre, en el diván. Pero cuantas más facilidades se me daban, mayor era mi incapacidad. En los períodos de aridez, nunca he tratado de rebelarme. Suelo sobrellevarlos con paciencia, retocando viejos cuadros, simulando que hago, en espera del soplo creador; exactamente lo que estoy haciendo ahora. Sin embargo, el verano pasado perdí la serenidad. No puedo recordarlo sin sonrojo. Le culpé a ella, fui injusto y atrabiliario, pero ya me conoces, en lugar de asumir mi ineptitud, le dije que era imposible trabajar en la pura asepsia, que aquel silencio sepulcral me inutilizaba, que yo necesitaba calor humano, gritos de niños, peleas, para hacer algo; para pintar vida precisaba vida y que toda su teoría sobre el *espléndido aislamiento* había sido un error. Apenas se inmutó. Mi pataleta era tan infantil que no merecía respuesta. Pero su indiferencia se volvió contra mí: me hizo verme pequeño y ruin; sentirme incómodo dentro de mi piel. Solía sucederme a menudo; era una forma de expiación. Sin embargo el amor propio me impedía excusarme, aunque esta vez, en la sobremesa, tan pronto advertí que ella se había anudado un hilo blanco en el dedo meñique de la mano izquierda, se me aflojó la garganta, le tomé la mano y le pedí perdón.

No obstante, es ahora, a cosa pasada, cuando deploro mi mezquindad. Es algo que suele suceder con los muertos: lamentar no haberles dicho a tiempo cuánto los amabas, lo necesarios que te eran. Cuando alguien imprescindible se va de tu lado, vuelves los ojos a tu interior y no encuentras más que banalidad, porque los vivos, comparados con los muertos, resultamos insoportablemente banales. Ensimismado en su tarea, uno cree, sobre todo si es artista, que los demás le deben acatamiento, se erige en ombligo del mundo y desestima la contribución ajena. Pero, un día adviertes que aquel que te ayudó a ser quien eres se ha ido de tu lado y, entonces, te dueles inútilmente de tu ingratitud. Tal vez las cosas no puedan ser de otra manera, pero resulta difícilmente tolerable. La imposibilidad de poder replantearte el pasado y rectificarlo, es una de las limitaciones más crueles de la condición humana. La vida sería más llevadera si dispusiéramos de una segunda oportunidad.

Durante el semestre que pasamos en Washington, en casa de los Tucker, yo comía poco y enflaquecía. No me adaptaba a la comida ni al horario americanos, y tu madre, que conocía mi aprensión, me metía el botón del cuello de la camisa cada cierto tiempo, para que no lo advirtiera. Te parecerá cómico, pero en la clínica no lograba arrancar este recuerdo de mi cabeza. ¿Cómo no valoré antes este detalle? Cuando las cosas de este tenor se están produciendo no les das importancia, las consideras normales. Incluso te parece ridículo el reconocimiento ante los allegados. Pero un día falta ella, se hace imposible agradecerle que te metiese el botón de la camisa y, súbitamente, su atención deja de parecerte superflua para convertirse en algo importante. En la vida has ido consiguiendo algunas cosas pero has fallado en lo esencial, es decir, has fracasado. Esta idea te deprime, y es entonces cuando buscas apuradamente un remedio para poder arrostrar con dignidad el futuro.

Hay otro asunto que hace unos meses consideraba un juego, pero que ahora advierto que no era un juego. Algunas tardes, en las sobremesas de mediodía, ella se me quedaba mirando y, al cabo de un rato, me preguntaba: ¿Volverías a casarte si yo me muriera? Yo sometía la cuestión a mi cerebro adormilado y respondía sin interés: Seguramente no, pero agregaba un poco inquieto: No debemos jugar con esas cosas. Su pequeña cabeza denegaba: No se trata de un juego. Sé que me moriré antes que tú. Esta iniciación de su discurso resultaba gris, un poco melodramática. Yo callaba, pero sus palabras dejaban en mi corazón un rastro ceniciento. El juego propiamente dicho, empezaba más tarde: la evaluación de candidatas. Luisa Aranda te llevaría los papeles al día. Tal vez, pero ¿quién se mete luego en la cama con Luisa Aranda? Tu madre reía: Maite Noriega haría eso mucho mejor. ¿Tú crees que se conformaría conmigo? Volvía a reír: Habría que verlo. Eres un amador aceptable pero tampoco nada del otro jueves. Iban desfilando los nombres de las candidatas y lo que a una le sobraba le faltaba a otra: ¿No habrá alguna que reúna las virtudes de todas ellas?, preguntaba yo. La chispa maliciosa de sus ojos se acentuaba: No es fácil eso. Entonces pensaba que había iniciado la conversación para que yo la halagase y le decía: Tú eres un hallazgo; no es probable que se repita. La envanecía saber que era difícil hallar una sustituta, pero añadía: Debes pensarlo; tú no podrías vivir sin una mujer al lado. ¿Se refería al cuerpo o al espíritu? Había una velada invitación en su voz. Trataba de seducirme. Lo hacía siempre, y siempre con extrema delicadeza. Era, inevitablemente, el colofón del juego.

Pero el verano pasado, a poco de manifestarse los primeros síntomas, advertí dos cosas: que durante el juego empezaba a mostrar cierta impaciencia y que el juego carecía de colofón (ahora se trataba de resolver un asunto urgente). La mayor de las Villena, Inés, haría una buena compañera, me dijo una tarde. Yo lo tomé a broma: Prefiero la segunda. ¡Pero la segunda está casada! Tampoco creas que es un obstáculo insalvable. Se animaba al no encontrar en mí una oposición rotunda. A lo largo del verano, planteó a menudo la cuestión sin que llegáramos a un acuerdo.

Gus, enfermo de hepatitis, solía interrumpir nuestros coloquios con sus voces. Le irritaba que los sanos platicáramos tranquilamente en el salón mientras los enfermos se pudrían en el lecho. Protestaba, daba voces y ella se levantaba para atenderlo. Era difícil en una casa de tanta gente sostener una conversación privada. Gustavo, ya le conoces, siempre fue un mal enfermo. Se impacientaba con el reposo y, para hacérselo más llevadero, tu madre le sacaba de paseo en automóvil, y, aunque aún era un niño, le enseñaba a conducir en los carriles del páramo. Metiendo y sacando marchas, reculando, maniobrando, se desfogaba. Gus es un niño original, diferente. Desde que tenía un año, se negó a admitir que, en aras de la salud, violentaran su cuerpo. Que le barrenaran una muela o le pusieran una inyección le parecían agresiones brutales que un ser civilizado no tenía por qué aceptar. Con la hepatitis, se resistía a las extracciones de sangre, necesarias para conocer el proceso de la enfermedad, pero tu madre, que previamente se leyó dos libros sobre el control de la mente, le convenció, al fin, para que accediera

al recuento periódico de transaminasas.
Esta paciente actitud ante los enfermos adoptaba formas preceptivas con los viejos. En su trato con ellos nunca pretendió ser clemente. Primitivo Lasquetti simplificaba despiadadamente su abnegación: A Ana, decía, le divierten los viejos. Pero ¿cómo interpretar su conducta como un simple divertimiento? Tú no alcanzaste a conocer a los López Manrique, dos ancianos pintorescos, él enfermo, ella con 84 años y la cadera rota. Lázaro López Manrique era un gafe reconocido. Recién casado, en Orihuela, cuando acompañaba al equipo de fútbol del que era directivo, el cohete anunciador de las fiestas le vació un ojo; le dejó tuerto. En torno al cenizo de López Manrique circulaban infinidad de anécdotas, algunas verdaderas y otras falsas. Lo que resultaba incontestable era lo del cohete, ya que a partir del famoso viaje le faltó el ojo izquierdo, que más tarde se puso de cristal (un ojo impertinente y obsesivo). A mí, fatalista de vocación, me inquietaban sus visitas a los López Manrique, le recomendaba prudencia y que abreviara, pero no me hacía caso: los acompañaba al médico, los abastecía

para que fueran sobreviviendo, les hacía la tertulia y, una tarde a la semana, la pasaba con ellos jugando al palé. Pero el día que falleció Lázaro, al ir a llamar a la funeraria, se desprendió la araña del salón al pasar ella y casi la aplasta. Fue la última broma de Lázaro en este mundo.

Otro de sus protegidos era García Elvira, el pintor. A éste sí lo conociste. Había triunfado en Francia pero, durante la ocupación alemana, pintó al mariscal Petain coronado de laureles y los franceses nunca se lo perdonaron. Regresó a España, a la ciudad donde había nacido, casado con una elegante parisina, Michéle, que cambió el bulevar de Saint Germain por una casita provinciana española sin hacer aspavientos. Una mujer valerosa. Nunca se lamentó de su destierro ni del temperamento de su marido. Con sus tiestos, los desfiles de los cadetes a caballo y el románico de la provincia tenía bastante. Tu madre y ella se reunían con frecuencia; se llevaban bien. Pero un día, inesperadamente, amaneció muerta en la cama. Le falló el corazón. Al llegar a su casa encontramos a un García Elvira furioso. En el reverso de algunos cuadros, ella había colgado unas etiquetas que decían: «En cas de mort, le donner a Ana». Fue un original testamento que García Elvira no respetó. Había nacido para princesa, protestaba. Regaló a tu madre un quinqué francés del XVIII, como recuerdo, quemó las etiquetas en la cocina y dijo que se encontraba muy solo, que a los 86 años no podía valerse y que necesitaba una mujer que le atendiera. Tu madre le recomendó algunas residencias acogedoras pero él respondió que las residencias de ancianos, acogedoras o no, eran *morideros* y que él, al hablar de una mujer que le atendiera, se refería concretamente a la cama. A partir de entonces, tu madre le acompañaba los sábados al Casino y le presentaba viudas de mejor o peor ver, pero que a él nunca le satisfacían: Ésa está muy fondona. ¡Por amor de Dios, Ana, si es una cacatúa! A mí la que en realidad me gusta eres tú. ¿Por qué no damos esquinazo a tu marido y te vienes conmigo a París? Tu madre asentía: Déjame un tiempo para pensarlo. Fue en esa etapa cuando le pintó el famoso retrato con el vestido rojo, un collar de perlas de dos vueltas y guantes hasta el codo. El vestido, de cuello redondo y sin mangas, lo diseñó él para la ocasión. Mi gran curiosidad por ver cómo resolvía el fondo del cuadro no se vio defraudada: lo eludió, eludió el fondo; únicamente una mancha gris azulada, muy oscura, en contraste con el rojo del vestido, más atenuada en los bordes. César Varelli, cuando lo vio, dijo: Un tipo que es capaz de conseguir estos grises es un pintor. Al oírle me asaltaron unos celos absurdos, un escocimiento que no experimentaba desde mi época juvenil. Acosé a tu madre: ¿Qué le decía García Elvira mientras la pintaba? ¿Se le insinuaba tal vez? Tu madre me miraba con los ojos muy abiertos, pasmada, atónita: Por amor de Dios, Nicolás, tengo casi cincuenta años. Pero para mí ella no tenía esa edad. La veía en el cuadro, bella, grácil, desenvuelta, las perlas en el cuello, los brazos morenos, tan sensuales. Ya caigo, dijo ella de pronto, tú lo que tienes son celos del cuadro. Y yo creo que era cierto, pero no me di cuenta hasta que un día se lo pidió para exponerlo en Madrid. Me humilló que no contara conmigo, pero al menos tuvo la delicadeza de no identificar a la protagonista en los programas de mano. *Señora de rojo sobre fondo gris*, anotó simplemente, y fue el éxito de la exposición. Entonces sí, entonces sentí celos del cuadro, de no haberlo sabido pintar yo, de que fuese *otro* quien la hubiese captado en todo su esplendor. El maestro había regresado a su patria chica para pintar a mi mujer y de este modo humillarme. Me sentí tan vano ante él como cuitado ante ella. El hecho de que un forastero hubiese entrado en mi casa para conseguir lo que yo no pude, con el modelo a mano, me empequeñecía. Pero me resistía a reconocerlo: ¿Celos del cuadro? ¿Es que piensas, acaso, que el cuadro es bueno? Ella omitió su opinión aunque era la que más me interesaba: A César Varelli y a Primo les ha gustado, dijo. Fue el remate; la guinda a la tarta. Y allí me dejó recomiéndome, no sé si de envidia, de celos o de impotencia.

Como era de esperar, el viejo García Elvira no pudo sobrevivirla. No encontró otra alma piadosa dispuesta a escuchar sus latosas confidencias sobre sus exigencias sexuales a los 90 años. Cuando le supe enfermo llamé a una ambulancia y le trasladamos al hospital y, con tu hermana Alicia, le velé la noche entera. Estaba amarillo por la ictericia, un poco hinchado, y murió de madrugada, con la mano de tu hermana entre las suyas, imaginando, tal vez, que era tu madre la que velaba su agonía. Se apagó tan dulcemente, que mi horror a la muerte física se relativizó desde entonces.

Estos viejos locos, solitarios, nunca faltaron en la vida de tu madre: tu abuela, mi padre, Tirso Urueña... Todos eran ancianos irreparables, a quienes la insolidaridad de la vida moderna había cogido desprevenidos. Se sentían perdidos en la vorágine de luces y ruidos, y daba la impresión de que ella, como un hada buena, iba tomándolos de la mano, uno a uno, para trasladarlos a la otra orilla. Pero esto, lejos de humanizarlos, los envilecía y, conscientes de su conmiseración, abusaban de ella, se inventaban dolores o necesidades con objeto de retenerla, iban devorándola poco a poco. No te oculto que yo también, sin darme cuenta, participaba de ese acto de antropofagia. En realidad, todos en casa nos considerábamos con derecho a ella, nadie renunciaba a su parte de ella. Y, fuera, ocurría otro tanto. Atendía a todos, lo mismo a los viejos, con sus cominerías, que a los adolescentes con sus equívocas intimidades. No regateaba su entrega. A veces daba la impresión de que entre todos la estábamos disecando. Algunas noches la veía derrumbarse sobre la cama, dejar caer el libro que había empezado a leer sin llegar a pasar página y quedarse dormida con la luz proyectada sobre su cabeza. Hace años que no duermo; pierdo el conocimiento, me decía en broma algunos días.

Las visitas a la cárcel no parecían afectarla. Yo creo que si iba a veros con alegría era porque no podía daros cosa mejor. ¿Qué hubiera sido de ti si en lugar de encontrar entre los barrotes su abierta sonrisa te hubieras topado con un gesto patético, de amargura o de fatiga? ¡Y qué gozo el tuyo cuando te hablaba de la niña, de sus balbuceos, de sus gracias, de sus primeros pasos vacilantes! La recordaré siempre, la última primavera, bajo el primer sol de la mañana, en el gran patio de cemento de Carabanchel, ante la puerta del penal, entre cientos de familiares angustiados, encabezando la fila hacia aquel energúmeno que iba voceando nuestros nombres: ¡Ana, Nicolás, Alicia, Martín, Pablo, Basilio...! Pero si somos nosotros, advertía divertida. Y, uno detrás de otro, salvábamos el rastrillo, mostrábamos furtivamente nuestros carnés de identidad, precedidos por su sonrisa, que parecía abrir todas las puertas y, cerrando filas, tu cuñado Basilio, hombre de fe, saludando desde el centro de la sala a los reclusos, dando los buenos días a todos.

El problema más desmoralizador era el juicio. Discurrían las semanas, los meses y nadie hablaba de juzgaros. El número de detenidos aumenta cada día. El Tribunal no da abasto, comentaban los de San Julio. Y, en efecto, las cárceles estaban abarrotadas pero no se hablaba para nada de libertad condicional. Yo recordaba el caso de César Varelli: once meses encerrado para, finalmente, ser declarado inocente. ¿Quién respondía de ese atropello? No obstante, yo temía al juicio. Nicolás y sus amigos pronosticaban condenas muy duras. Yo era cobarde; prefería dejar pasar el tiempo, que no se removiera el caso, que se olvidara. Desconfiaba, en particular, de lo que pudiera ocurrirle a Leo. Ella, en cambio, nunca esperó nada de la vía judicial: Ana y Leo saldrán de la cárcel con la cabeza alta, mediante una amnistía política, dijo siempre. Su fe en que la vida de *aquel hombre* tenía un límite corto, aumentaba por días. Y, como respondiendo a sus previsiones, por aquel entonces se encontraba enfermo. Mas, aunque no eterno, aquel hombre lo parecía; se restablecía una y otra vez, la ciencia no le dejaba morir, prevenía sus recaídas, las conjuraba y luego le enviaba a descansar al mar o a la montaña. No acababa de estar claro que su enfermedad de entonces fuera a ser la última. Sin embargo, ella tuvo razón, ya lo ves, no ha sido un juez sino el propio gobierno el que os ha puesto en la calle con todos los pronunciamientos favorables.

Las únicas desazones de la niña durante los meses que vivió en casa fueron motivadas por las ausencias de su abuela. Era una cosa rara, porque desde el primer momento tu madre se dio cuenta de las delicadas circunstancias en que se encontraba, y resolvió, en una de sus rápidas decisiones, *no mimarla demasiado para no echarla a perder*. Pero, aunque simulaba un relativo distanciamiento, la niña se percataba de que era la reina allí. Tu hija es intuitiva y sonríe con el mismo gesto que su abuela, con las comisuras altas, en tensión, incondicionalmente.

La primera noche que regresé solo la niña me miraba sin llorar, pero se negaba a acostarse. No reía, no jugaba, no lográbamos distraerla con nada, simplemente me seguía a todas partes y me miraba. Intuía algo, la primera falla en su breve vida. Alicia y Juan, que acababan de casarse, la llevaron a su cuarto, pero la niña empezó a llorar entonces. Durmió conmigo, un sueño agitado, y su cabecita morena, bajo la tulipa azul, tenía la misma disposición que la suya cuando, vencida por el cansancio, dejaba caer el libro que leía y se quedaba dormida.

No es fácil dar una idea aproximada de tu madre, de su cara oculta, la faceta que no habéis conocido. Estaba su atractivo, es cierto, pero también su intuición, su admirable capacidad para crear ambientes. Recuerdo ahora nuestra gira por América hace diez años: las clases, las charlas a mediodía, bajo el sol de mayo, los edificios neoclásicos, los amplios *campus* verdes, las recepciones con los profesores endomingados. Velázquez, Goya, la escuela de Madrid, eran temas sólidos, sin duda, pero nuestra relación terminaba ahí. Se echaba en falta un rompedor, alguien que fundiese el hielo, que flexibilizara el inevitable acartonamiento académico. Ella acabó con aquella tiesura ceremoniosa y no me preguntes de qué manera. Simplemente lo hizo. Y aquellos profesores, agarrotados en principio, terminaron colgando las americanas del respaldo de las sillas y sus esposas batiendo palmas con calor. En la Universidad de Yale aún llegó más lejos. Tocó las castañuelas, como en París, y aquello adquirió una temperatura altísima. Recuerdo que el profesor Curren, el decano, en tirantes, le preguntó entusiasmado dónde había aprendido y ella se echó a reír: Esto no es tocar las castañuelas, profesor; es sólo hacerlas sonar, dijo. Pero el caso es que suenan bien, contestó él. Bueno, eso es tan fácil como silbar *El Danubio azul*.

No valoraba su talento. Le ocurría lo mismo con el cóctel, con su dominio de la técnica festiva; tampoco lo apreciaba. Para ella cambiar de interlocutor cincuenta veces en una tarde era normal. Algo tan sencillo como respirar. Afrontaba en cada caso a los desconocidos con una calidez tan específica que cada uno quedaba con la ilusión de haber sido distinguido por ella. Dominaba ese arte tan difícil de abandonar a una persona y dirigirse a otra sin humillar a la primera; conectaba y desconectaba sobre la marcha, deportivamente, la sonrisa en los labios, y a la hora de las despedidas, todo el mundo se hacía lenguas de su afabilidad. Yo envidiaba su facultad de acomodación, y aun trataba de imitarla, pero su don no era transmisible. La técnica del picoteo no estaba a mi alcance. Me mostraba torpe, ponía en juego una condescendencia derretida, demasiado atropellada para ser sincera. Y de esta forma no era infrecuente que terminara la fiesta con el primero que me asaltó a la llegada, de ordinario el más cargante de la reunión. Mis intentos de fuga rara vez prosperaban y si, en ocasiones, conseguía despegar, era a costa de dejar a mi interlocutor con la palabra en la boca. De ahí mi indecisión. Pero en estos titubeos, llegaba ella, triunfante, y, a requerimientos de otros, me requería a mí, con tal donaire que, incomprensiblemente, mi secuestrador quedaba prendado de ella e incomodado conmigo. ¿Cómo te explicas esto? Recuerdo que una tarde, en Amherst College, me dio un consejo insolente, esto es, que a los impertinentes de cóctel había que tratarlos como a los perros zalameros, con una cierta dureza encubierta: acariciarles la cabeza, rascarles el entrecejo, pero impedirles a toda costa que te pusieran las patas encima. Eso me dijo.

Su atractivo era tan irresistible que, en el funeral, la gente lloraba. La iglesia estaba atestada, en silencio, un silencio que únicamente rompían los sollozos. Yo recuerdo aquel día como vivido dentro de otra piel, desdoblado. Tras una semana de tensión intuía una realidad dramática, pero todavía *no la sentía*. Observaba a mi alrededor, atónito. Veía a un hombre de corbata marrón a listas verdes con los ojos enrojecidos; a una mujer de edad, enlutada, con el pañuelo en la mano; a dos muchachas llorosas, comunicándose en bisbiseos. ¿Por qué llorarán *ésos*?, me preguntaba. ¿Quiénes eran? ¿Quién sería el señor de la corbata listada, la mujer de edad, las muchachas que bisbiseaban? ¿Le habrían pagado alguna vez el autobús? Ante aquella consternación general, pensé que el poder de seducción de tu madre era arrebatador, que su capacidad para granjearse afectos era tal que ni don Federico Corral, el administrador de la casa, a quien divisaba de pie, en un lateral del templo, con la cabeza melancólicamente reclinada sobre el pecho, podía sustraerse a ella.

La primera molestia que experimentó fue un dolor persistente en el hombro izquierdo. Fuimos a Óscar: Reúma, artritis, artrosis... Era joven, pero para estas cosas no hay edad. No le dimos importancia. Es decir, yo no le di importancia al dolor, sí a un levísimo decaimiento que advertía en ella, más bien al instintivo esfuerzo que hacía por sobreponerse. Acabábamos de regresar de Bruselas y todo había ido bien. Había vendido media exposición y las críticas fueron favorables. Ella, como de costumbre, había colgado los cuadros y estuvo contenta allí; no se quejó. Fue al regreso, a los tres días de estar en casa, cuando el dolor le asaltó por sorpresa al levantarse. Salvo el episodio del asma, no la recordaba enferma. A los veinticinco años, meses después de nacer tú, padeció un asma de origen misterioso cuyos accesos nocturnos no la permitían descansar. Pasaba las noches sentada en la cama, leyendo. No lo tomó en serio; tu madre, salvo los dientes y las grasas, no tomaba su cuerpo demasiado en serio. Los médicos descartaron el corazón; hablaron de alergia. Seguramente era alergia. Pero ¿alergia a qué? Las pruebas habituales nada probaron. Todo podía ser y nada era; nada se aseguraba y nada se descartaba. Tampoco parecía importante, aunque, cada vez que sufría el ataque, su respiración se hacía corta, silbante, con un entorpecimiento traqueal, angustiada. Ella me decía que no con la cabeza, que no me preocupase. Nunca llegó a sentirse en el límite, verdaderamente apurada.

Vivíamos entonces en una casa frente al parque, con una alfombra de nudos en el salón muy difícil de limpiar. Pero, salvo yo, nadie pensó en el parque, ni en la alfombra. Un buen día, los ataques empezaron a espaciarse por sí solos; apenas sufría uno al mes. Aquella época coincidió con la medalla del Salón de Otoño, y las perspectivas de mejora económica que comportaba nos animaron a cambiar de casa. Hacerlo y desaparecer el asma fue todo uno. No volvió a sufrir ni el menor amago. Sencillamente se había terminado la enfermedad. ¿Fue el polen el causante, algún árbol del parque, alguna flor? ¿Tal vez el polvo acumulado en la alfombra, que no viajó con nosotros a la nueva casa? Nunca llegó a saberse. Pero Óscar recordó el asma cuando surgió el problema del hombro. Lo tenía registrado en su historial clínico y era admisible una relación, aunque el tiempo transcurrido desde entonces invitaba a descartarlo. Recetó gimnasia, ultrasonidos y antirreumáticos. A tu madre le habían hablado del gimnasio del Dr. Salinas, junto al río, y acudió a él esperanzada. Le fijaron una hora asesina: las 4 de la tarde. Y allí iba, en pleno mes de junio, y regresaba acalorada, deprimida. Solía sentarse en la mecedora del salón, hasta que se le pasaba el sofoco. Por primera vez la vi, aunque por breve tiempo, lábil, dominada por algo. En cualquier lugar del mundo donde hubiera vitrinas, museos, teatro o monumentos, es decir cosas bellas que admirar, tu madre era incansable. Podía comenzar la jornada a las nueve de la mañana y, doce horas más tarde, seguir activa, presta a asistir a algún espectáculo nocturno que mereciera la pena. El ejercicio físico no la mejoró el hombro. El dolor tenía manifestaciones que no parecían guardar relación con el tratamiento. Tal vez ella intuyó que aquel dolor insidioso, sin causa conocida, podía ser el inicio de algo grave, pero no dijo nada. Era enemiga de difundir malas noticias: A Ana no le habléis de esto; es una tontería, nos rogó. Y en la cárcel, cuando te visitábamos, no se hablaba de su dolor, como si no existiese. Los temas eran los de siempre: el hombre casi eterno, el juicio que nunca comenzaba, la media lengua de la niña. En esa situación, con una medicación imprecisa, nos vinimos aquí. Al levantarse solía hacer la tabla de ejercicios del doctor Salinas, pero un día apareció con el brazo inflamado. A ver si ahora me voy a hinchar como un globo, fue su comentario jocoso. Estaba baja de tono pero deseaba despreocuparnos, que el ritmo de la casa no se alterase por su causa. Sin embargo, su decaimiento era notorio y, en contra de su costumbre, a mediados de julio dejó de subir al estudio para ver *si me había cun-*

dido la mañana. Se mostraba jovial, pero refrenada, buscando camas, divanes, puntos de apoyo donde recuperar fuerzas.

Por la noche sí me interrogaba: ¿Trabajas? Yo asentía con la cabeza: Mañana te enseñaré lo que estoy haciendo. La engañaba porque sabía que no subiría. Continuaba seco, carecía de facultades hasta para embadurnar un lienzo; me sorprendía haber tenido ideas meses atrás y empezaba a sospechar que esta vez mi incapacidad era definitiva. Únicamente disponía de un argumento en contrario: el hecho de que la idea de impotencia no era la primera vez que me asaltaba. Entonces me esforzaba en animarme pensando que la medalla del Salón de Otoño, las exposiciones de París y Bruselas, los elogios de los críticos, significaban alguna cosa. Y que si la inspiración me había asistido un día no había razones objetivas para que no volviera a asistirme. Te diré más, cada vez que ella me preguntaba ¿trabajas?, antes para que yo pensase que seguía de cerca mi quehacer que por auténtico interés (en esos días su cabeza estaba ocupada en otra cosa), yo me hacía la siguiente reflexión: que, más adelante, cuando ella sanase, tendría que revelarle la verdad, es decir, que el pintor que habitó en mí había muerto; que el hecho de haber pintado mil cuadros no significaba que pudiera pintar mil uno. Que ésa era la cruel servidumbre del artista.

Cuando ella se apagaba, todo languidecía en torno. Sus esfuerzos por sobreponerse no engañaban a nadie, resultaban incluso patéticos. Fue entonces, en aquellos primeros días del verano, cuando me asaltó la idea de la menopausia. Esta ingenua posibilidad fue tomando cuerpo dentro de mí. Tu madre estaba sufriendo un penoso proceso de menopausia y nada más. En el estudio, mientras luchaba con mi incapacidad, me lo repetía docenas de veces para convencerme. ¿Cómo no se me había ocurrido antes? Un día se lo revelé con un entusiasmo desmedido, pero ella sonrió: Son cosas distintas, dijo. Me enfadé conmigo mismo por mi torpeza al exponer la sugerencia, por haber estropeado la noticia. Luego la tomé con ella: ¿Qué sabía de medicina? A veces este proceso llegaba a despertar instintos homicidas en una mujer. Más aún: en las leyes de los países civilizados, se la consideraba una causa atenuante de la responsabilidad penal. Levantaba la voz para decírselo; sustituía los argumentos por voces, como siempre que uno no está convencido de lo que está diciendo. Ella me miraba, la chispita en el fondo de sus ojos castaños, y entonces yo me daba cuenta de que tenía la misma expresión que cuando miraba a la niña, un tanto remota e incrédula. ¡Te estoy hablando a ti!, gritaba furioso, pero ella seguía mirándome con indulgencia, su delgado cuerpo sin energías recostado en el sofá; pero como yo siguiera insistiendo, acabó suplicándome que me llevara a Gustavo al páramo a conducir, que estaba como un león enjaulado. Era evidente que no le interesaban mis conjeturas; deseaba, simplemente, estar sola, deshacerse de mí.

Ahora pienso que no tendré a nadie a mano cuando me asalte el miedo. ¿Qué va a ser de mí cuando no encuentre su mirada cómplice entre los ojos hostiles del auditorio? ¿Cómo arrancarme a hablar? ¿Cómo eludir el acoso tentacular de los cócteles? ¿Quién acudirá a rescatarme? ¿Tendré valor para subirme a un avión? La primera vez que lo hicimos, de recién casados, fue ella la que sintió vértigo. Se mareó en el despegue y yo fui feliz atendiéndola. Tiempo después, cuando el avión de hélice fue sustituido por el de reacción, empecé a relacionar su interior con un quirófano, a recelar de aquel ambiente artificial que me oprimía. Ella me aconsejaba: Inspira hondo y expulsa el aire poco a poco. ¿Nunca te has emborrachado de oxígeno? Lo intenté pero la tensión no cedía; no conseguía dominarme. Entonces fue cuando descubrí la eficacia del alcohol ante el miedo insuperable. Unas copas de champán desfondaban el miedo, convertían el avión en un trasto tan inocente como un tiovivo de feria. Pero había que dar con el punto, lo mismo que ahora, cuando me levanto. Yo sé que si bebo la dosis justa, la veré ahí, tumbada en ese diván, con el vestido rojo del cuadro, con tal nitidez que podría describir la expresión de su rostro y los detalles de su atuendo. Y si no está ahí, la veré por el tragaluz atravesar el camino de grava y, poco después, recostada en el marco de la puerta, inmóvil, observándome atentamente; un poco desmañada pero muy atractiva. Algunas mañanas no la veo, únicamente la oigo, la siento acercarse por detrás, haciendo crujir las tablas de roble como sólo su peso podría hacerlas crujir. Entonces intuyo que me acompaña aunque no la vea. Es claro que son visiones producidas por el alcohol, pero me valen: ya no puedo vivir sin esas visiones. Lo que nunca consiguió el alcohol es borrar la impresión de aquel beso de hielo sobre su frente muerta, el frágil cuello emergiendo de la sábana que la envolvía como un sudario. Tus hermanos y tíos venían detrás en fila india, como en la cárcel, pero ella no la encabezaba ahora, faltaba su alegría. Y mientras ellos se despedían, yo me frotaba los labios ásperamente, porque, aunque era capaz de concebirla dormida o despierta, riendo o llorando, charlando o ensimismada, me resultaba imposible imaginarla sin calor.

Mediado el verano la invité a dar un paseo en bicicleta. Nunca había necesitado que la animasen pero, en los últimos días de julio, se mostró más abatida. Esa tarde, en la curva del Pinsapo, reconoció que el campo por sí solo no aliviaba la melancolía, que era preciso traer la alegría dentro para disfrutarlo. A pesar de todo, ella se esforzaba en alcanzar sus habituales niveles de optimismo imaginando situaciones que podían ser peores. Otras veces tenía raptos imprevisibles. A Mar la abrazó una noche en el salón con una vehemencia inusual. Estuve a punto de acabar contigo, le dijo. Llevaba varias noches soñando cosas atroces: con Mar descuartizada, sin manos, ni pies. En realidad no sabía si lo soñaba o lo imaginaba en la duermevela, pero daba la luz y no volvía a apagarla hasta que se tranquilizaba. Otra vez soñaba con la niña, me decía. Estaba obsesionada con la talidomida. A veces comentaba que estuvo a punto de tomarla en París, cuando la beca del 64, afirmación sin fundamento pues, aunque es cierto que se la ofrecieron, ella la rechazó como tantas otras cosas en esa situación. Estando encinta era refractaria a medicarse. Consideraba el embarazo un hecho natural aunque no consentía que se abultase otra cosa que el vientre. Odiaba esos embarazos invasores que se acusan hasta en los lóbulos de las orejas, pero no se medicinaba para evitarlos; hacía ejercicio y racionaba la dosis de sal. Eso era todo. Creo que esto fue lo que te recomendó a ti cuando le anunciaste que esperabas un bebé. Por tanto, el parto era un hecho fisiológico ajeno a la farmacopea; los medicamentos sobraban. Alcanzada la sazón, se alumbraba al niño y en paz; sin acelerar ni demorar el momento. Consecuente con sus ideas, la noche que alumbró a tu hermana Alicia, se negó a esperar al doctor pese a los ruegos de la comadrona. Llegado el momento, expulsó a la niña sin atender otras razones. Y allí quedaron las dos, madre e hija, sobre la colcha, la niña dando vagidos, ella mirando al techo, sonriendo a la nada. Fue algo tan maravilloso, que ante el estupor de la comadrona cogí un bramante y lo anudé en el cordón que las unía, que era grueso y azul, pero no me atreví a cortarlo. Estos acontecimientos no alteraban lo más mínimo su ritmo de vida. Recuerdo que con Pablo se vino de viaje conmigo estando fuera de cuenta. Ya no se acordaba de lo de Alicia, el parto anterior. Verónica, más precavida, le advertía: Y ¿si te vienen los dolores en pleno campo? Ella replicaba con tal resolución que su amiga se achicaba: Me detengo en el primer pueblo y doy a luz; tampoco creas que parir sea un arco de iglesia. A las veinticuatro horas de nuestro regreso, nació Pablo, el más lucido de la serie. Verónica se llevaba las manos a la cabeza: ¡Dios Santo, no ha nacido en Francia de verdadero milagro! Ella se burlaba: ¿Tan grave te parece tener un hijo francés?

En las tertulias de sobremesa le contaba a Paula estas historias con objeto de familiarizarla con su alumbramiento ya inminente. Martín se mostraba acorde: el parto era un acto natural, y, en consecuencia, había que desligarlo de la medicina. Paula apenas ingería sal y aprendía a respirar. Todo iba bien, pero cuando, inesperadamente, un domingo por la tarde le sobrevinieron las contracciones, todos nos pusimos un poco nerviosos. Los dolores eran apremiantes pero tu madre no vaciló; mandó recado al médico del pueblo y organizó las cosas para atenderla aquí mismo, en casa. No hubo contratiempos; en cuatro horas había nacido la criatura y aunque era grande y su madre grácil, se escurrió lo mismo que había hecho Alicia veinte años atrás. Fue quizá el único momento feliz, en medio de un verano calamitoso.

Sin duda el parto de Paula fue el último acto operativo de tu madre el pasado verano. A partir de aquel día cayó en una especie de inhibición. Apenas se ocupaba de las flores y de los niños. Una mañana, después de regar el rincón de las margaritas, se desmayó. Luego estuvo tendida en la hamaca, hasta la hora de almorzar. Cuando se levantó dijo que se encontraba bien pero, mientras comía, un comentario de Pablo le provocó un acceso de risa, se atragantó, enrojeció, y creímos que se ahogaba. Se puso en pie sin poder hablar. Agitaba los brazos pidiendo ayuda. Todos nos incorporamos y tratamos de auxiliarla. Al fin, remitieron los ahogos, se serenó. Alicia se asustó; estaba lívida. Dijo que mientras su madre no se recuperase, ella no se casaba. Por la tarde, incapaz de soportar la inquietud, cogí el coche y me la llevé a la ciudad a que la viera Óscar: los dolores del hombro seguían mortificándola, también la inflamación del brazo, las décimas... Después estaban las novedades del mareo y la disfagia. Óscar la exploró a fondo. De la conversación deduje que tu madre padecía otros trastornos de los que no me había hablado: laxitud, afonía, molestias en el cuello y un dolor intermitente en la pierna derecha. A cada nuevo síntoma que exponía, yo escrutaba el rostro grave de Óscar, su mirada antigua, un poco taimada, de campesino. Y cuando tu madre agregó que a veces, sin razón alguna, sangraba por la nariz, Óscar se interesó por las reglas, que, según ella, eran normales. Pero él inquiría más y más detalles. Ante su insistencia experimenté esa satisfacción propia del profano que anticipa un diagnóstico: ¡Óscar estaba pensando en la menopausia!

Hacía calor en la ciudad, un calor seco y estancado, de asfalto reblandecido, ese calor propio de los veranos en Castilla. Necesito unos análisis para mañana, dijo Óscar, y me extendió la receta. Luego, al llegar a casa, ocurrió un curioso incidente. Al bajarme del coche, tu madre, que se había apeado por el lado opuesto, le decía cálidamente a un hombre maduro, que se alejaba por la acera sin volver la cabeza: Gracias; muchas gracias. Ha sido usted muy amable. El hombre, con chaqueta clara y un hombro más alto que otro, se escabullía azorado. Ha sido muy amable, repitió tu madre ya dentro del ascensor:

Pero ¿qué es lo que te ha dicho?, le pregunté intrigado. Ella no hacía más que asentir. Estaba verdaderamente conmovida: Al apearme del coche me miró, silbó y dijo: ¡Vaya piernas! ¿Qué te parece? Normal. Que tus piernas son bonitas no es ningún descubrimiento. Entonces hizo un escueto comentario en el que luego he pensado a menudo. Dijo únicamente: Hoy, sí. ¿Por qué ese día era un descubrimiento que sus piernas fueran bonitas? ¿Por sus cuarenta y ocho años? ¿Tal vez por la enfermedad?

Estábamos sentados en nuestros sillones habituales, la televisión a medio tono, dos rendijas de luz en las persianas, sin visillos, en la provisionalidad del verano, lánguidos bajo el chajuán. Hacía tiempo que nadie me decía una cosa tan agradable, volvió a repetir tu madre. El tedio del verano, la tarde bochornosa, la inquietud por la enfermedad... todo lo había superado merced al piropo de un hortera. Pero se lo has agradecido con largueza, dije por decir algo. ¿Crees que me he pasado?, preguntó. La veía, de súbito, insegura, desconfiada. Me apresuré a tranquilizarla: Tal vez te has excedido un poco, pero nada más. Me miró contrariada: En ese caso es que me he pasado, ¿por qué dices que no? Sin saber cómo, nos enredamos en una torpe discusión sobre la pertinencia de agradecer un piropo y yo me acaloré y le dije que lo inadmisible era contestar a un piropo con otro piropo y ella respondió que únicamente le había dado las gracias, no le había piropeado, y yo añadí que dar las gracias *dos veces* y llamar *amable* a un desconocido era más que un piropo. ¿Por qué perdí el control aquella tarde? ¿Por qué? Ella vivía bajo la idea de que se estaba desmoronando y las palabras de aquel hombre la habían reconfortado. ¿Por qué, entonces, la traté con aquella desdeñosa aspereza que empleaba a veces cuando estaba sana y no me era necesaria? En cualquier caso mi enfado fue irrelevante. Ella no lo tomó en cuenta. A la noche, cuando iba a acostarme, la sorprendí ante la luna del armario, levantándose las faldas con las puntas de los dedos, la morena cabeza ladeada, contemplándose las piernas. Se mordió el labio inferior e hizo un gesto de asentimiento: En efecto, todavía se las puede mirar, dijo satisfecha.

Dos días más tarde, Óscar nos dio una buena noticia: los análisis revelaban una anemia ferropénica que explicaba algunos trastornos. Le recetó compuestos de hierro, reposo en cama dura y unos corticoides. Mi ánimo fluctuante se recuperó. Ella seguía condicionándolo todo. Ojalá sea *sólo* eso, decía. ¿Por qué ojalá? Ya está visto. Óscar lo ha dicho. Deseaba a toda costa que ella lo creyera. Al día siguiente regresamos a casa. ¿Qué? Había ansiedad en los ojos de Alicia, en los apremios de Martín, en los silencios de Nicolás: Todo resuelto. Una anemia ferropénica, dije. Ella alzaba los ojos y movía la cabeza, denegando. Alicia me dijo luego que le había dicho: No quiero desilusionar a tu padre, pero Óscar únicamente ha apuntado la anemia como una posibilidad.

Por la tarde me encerré en el estudio. Canturreaba, silbaba como hacía tiempo que no lo hacía. Me parecía que inauguraba una nueva era. Empecé un cuadro, pero, a la media hora, se atascó, di cuatro brochazos violentos y lo dejé. Estaba literalmente vacío. Lo mío no se curaba con hierro, era irremediable. Si ella va a restablecerse, ¿por qué no me sale nada?, me preguntaba perplejo. Pero la impericia de mi mano, la sequedad de mi cabeza, se me antojaban definitivas. Me excité tanto que arrojé los pinceles y los tubos de pintura contra el lienzo, propiné dos patadas al caballete, a los botes esparcidos por el suelo y me tumbé, muy agitado, en el diván. Respiraba anhelosamente, me oprimía el pecho. Pensé en el infarto, pero era la rabieta lo que dificultaba mi respiración. Tendrá que ser así, me dije; también a los artistas nos llega la menopausia.

Mi reacción posterior fue la habitual en esos casos. Ante mi impotencia, pensé que mi discurso se había agotado, que había llegado el fin. En semejantes crisis mi decaimiento no era solamente artístico, afectaba también a mi humor. Mi humor, lo tenía comprobado, dependía de mi eficacia: a mayor rendimiento, mejor humor; a menor, peor. Es decir, crecía y decrecía como la luna; pero en las fases altas, cuando pintaba y el cuadro respondía a mis expectativas, me identificaba de tal modo con él, que olvidaba la hora que era, dónde estaba, incluso quién era yo. En alguna ocasión me sucedió no darme cuenta de que existía, hasta que anocheció y dejé de distinguir los colores. En tales casos se producía como un despertar, un parpadeo incrédulo, un descenso de las nubes. Permanecía un rato inmóvil. Al cabo, encendía la luz, me frotaba los ojos y me recreaba en mi propia obra. La veía como nueva, como si fuera de otro, como en una exposición en la que acabara de entrar. Yo mismo ignoraba cómo había solventado las dificultades que ahora veía resueltas en el cuadro. Me asombraba de mi propia maestría. Tan ajeno me sentía, que de estas obras solía decir que las habían pintado los ángeles, que mi mano sólo había servido de instrumento. Ella, antes de entrar en el estudio, atisbaba por la rendija de la puerta y, si me veía en pleno transporte, arrobado, bajaba y comía con los chicos, sin esperarme. A la noche, cuando me veía aparecer como un sonámbulo, me preguntaba: Bajaron los ángeles, ¿verdad? Yo asentía: Vamos a ver el cuadro.

En épocas fértiles no se me ocurría pensar en períodos de aridez; lo natural era que un pintor pintase de continuo, como un maestro da diariamente su lección. Imaginaba que las vacilaciones eran flaquezas pasajeras, que el talento fluía constantemente, como fluyen las aguas de un río, aunque no se note. Pero, de pronto, sobrevenía una fase de esterilidad y mi ánimo cambiaba de signo. Yo era un yermo y el hecho de que alguna vez hubiera dado fruto, un accidente. Una racha de inspiración no hacía a un artista. El artista debía ser voluntad, y aquel que creaba sin voluntad de crear era un simple instrumento del azar; un chambón. A veces mi cabeza se esclarecía en un relámpago, pero en los últimos tiempos todo era oscuro, me movía tan a tientas como el día que regresamos de ver a Óscar, convencido yo de que tu madre padecía una anemia ferropénica. Sin embargo, aquella tarde subí al estudio seguro de mí mismo, creía todavía en las crisis pasajeras e incluso recuerdo que canturreaba. Pero cuando advertí que no, que mi cabeza continuaba hueca, sin ideas, formas, ni colores, me irrité conmigo mismo y con la vida. Luego, tumbado en el diván, la opresión del pecho fue cediendo, me tomé dos valium y me quedé dormido, en la certidumbre de que mi ingenio, si alguna vez existió, se había desvanecido.

A la mañana siguiente fuimos a Madrid, a veros. Marcelino Camacho había repartido unos jerseis de las sindicalistas francesas entre sus compañeros de proceso, pero a Leo no le correspondió ninguno. Eran unos jerseis abiertos por delante, de mezclilla, con cuello y cremallera que, en honor de su distribuidor, fueron bautizados con el nombre de *marcelinas*. Me fastidió que Leo fuera descartado del reparto puesto que si estaba preso era por su causa. Lo habían encerrado por oponerse al proceso 1001, por defender la autonomía sindical. La verdad es que en aquellos días yo estaba muy impresionable; me impacientaba por cualquier cosa. A tu marido le sobraba ropa de abrigo como para atravesar el polo. ¿Qué importancia tenía entonces un jersey? Simplemente una satisfacción moral; en aquellos momentos, lo que yo valoraba eran los gestos. Me notaba suspicaz. Tú ya sabías que tu madre estaba enferma y me urgía comunicarte las últimas novedades. Imaginaba puerilmente que al darte a conocer lo de la anemia el asunto quedaba zanjado, puesto que la ciencia, me decía, no puede volverse atrás. La recordarás en el locutorio aquella mañana bochornosa, sofocada, los labios agrietados, débil, intentando sobreponerse. Bajaste la voz: ¿Seguro que es sólo anemia?, me dijiste. Sentí por ti una helada compasión: Estáte tranquila, Óscar lo ha dicho.

El regreso fue malo. Le subieron las décimas, le aumentó el cansancio. Al cabo de unos días de tratamiento mejoró un poco, fue como un centelleo de esperanza; se sentía menos agotada. A cambio, se le congeló el hombro, se le agarrotó: Es como si tuviera esquirlas de hielo en la articulación, decía. La observaba sin cesar. Pocos días después, advirtió que perdía vista en el ojo izquierdo y oído en el oído del mismo lado. Me alarmó. Acudí a teléfonos pero no pude hablar con Óscar: estaban las líneas sobrecargadas. Empezó con los insomnios. No es que durmiera mal, sino que no dormía en absoluto. Se levantaba, deambulaba por la casa, volvía a acostarse. Cambió de habitación para estar sola y no molestarme. Con el alba se quedaba adormilada en el sofá del salón, pero tan pronto se levantaba alguno y hacía crujir las tablas del entarimado, volvía a despertarse. Al fin comuniqué con la consulta de Óscar. Estaba ausente. Se había ido a descansar unos días al norte, a Asturias, pero sin dejar dirección, sin reserva de hotel, un poco a la aventura. A Óscar ya sabes que le gustan esas cosas. Irse a los Alpes con una caravana enganchada al coche, o pasar una semana en los Picos de Europa en una tienda de campaña. Antepone el campo a todo lo demás. Al fin y al cabo en él nació y allí disfrutó de una infancia feliz. Pero cuando me dijeron que estaba ausente, me sentí desamparado. Volverá pronto, añadió la enfermera.

A la mañana siguiente, tu madre, contra su costumbre, me buscó en el estudio, aquí, donde yo luchaba inútilmente con un lienzo en blanco. Ya sé lo que tengo, me dijo con ingenuo entusiasmo. La miré como a un bicho raro, con prevención: La muela, agregó. La muela que me arreglaron en mayo; el empaste oprime el nervio e insensibiliza el lado izquierdo de la lengua. Era la primera vez que me hablaba de la lengua y, al advertírselo, aclaró que desde que regresamos de Madrid tenía acorchado el lateral izquierdo, como dormido. Las cosas no me saben a nada; no distingo un sabor ácido de otro dulce. A Óscar le puse al corriente en cuanto regresó. Veníos por aquí, me dijo. ¿Mañana? ¿Por qué no esta tarde? Ni siquiera la miró. Tenía escritas dos cartas que me entregó: una para Edmundo Carcedo, el oftalmólogo, y para Alberto Román, el otorrino, la otra.

Edmundo Carcedo la sometió a un reconocimiento meticuloso. No veía bien con el ojo izquierdo. Había perdido un veinte por ciento de visión. Edmundo pretendía suavizar el diagnóstico dulcificando los rasgos de su cara cuadrada, abriendo los ángulos: Disminución del reflejo corneal; conviene que le exploren cuanto antes el oído. No anticipaba cosas, únicamente intentaba redondear su rostro, atenuar el dramatismo. Alberto Román, el otorrino, confirmó la pérdida de oído. Pero no era como Edmundo, sino más bien su contrario. No se esforzaba en atemperar la realidad; exponía sus paulatinos descubrimientos con rudeza. Antes que como médico, actuaba como científico. Añadía un dato a otro fríamente, como un investigador podría aportar un nuevo hallazgo para ayudar a resolver el problema. Pasamos la mañana en su consulta. Tu madre se dejaba traer y llevar sumisamente. Hubo un momento, cuando el doctor murmuró entre dientes: «Existe una presión sobre el nervio acústico», en que ella reaccionó vivamente: ¡El empaste! El doctor Román denegó con la cabeza (es uno de esos hombres augustos para quienes la vida no es una broma y resultaría paradójico reír al verla amenazada). Señora, dijo, mucho me temo que el empaste de una muela nada tenga que ver con este cuadro.

Al día siguiente, Óscar me leyó el diagnóstico: «Proceso expansivo del ángulo ponto-cerebeloso del lado izquierdo. Necesidad de una exploración endocraneal más precisa». Me le quedé mirando como si se expresara en chino. Su voz se afelpó como cuando hablaba del campo, de sus excursiones al aire libre: Apunta la posibilidad de un tumor, dijo blandamente. ¿Un tumor? ¿En la cabeza? Asintió. Me ericé ante lo irremediable. Ella era ahora la razón de mi miedo y el miedo mismo no podía proporcionarme el antídoto. Óscar jugueteaba con los objetos de la escribanía, muy pulcros, con toda seguridad regalo de algún enfermo. Apresuró la frase esperanzadora: Los tumores en esa zona suelen ser benignos. Había caído tan hondo que cualquier otro juicio, el menor gesto, necesariamente habían de impulsarme hacia la superficie. No era posible hundirse más. ¿Operable?, dije con una punta de voz. Sí, claro, hoy se operan con éxito en un alto porcentaje. Hizo una pausa y se incorporó como indicándome que en lo sucesivo ya no íbamos a depender de él: Lo que urge ahora es encontrar el neurólogo adecuado.

Cuando tu madre me abrió la puerta, no me atreví a mirarla a los ojos. Estaba ofuscado y me encaminé derecho a la librería. ¿Qué buscas? Venía detrás de mí, pero yo callaba. Sabía que en cuanto me mirara a los ojos, lo descubriría todo (veía detrás de los ojos, detrás de las palabras, en particular de los míos, tan transparentes). Había decidido no revelárselo hasta el día siguiente, con la nueva luz, pero ella, consciente de mi esfuerzo por eludirla, se apiadó de mí. Mi debilidad, como de costumbre, terminó por prevalecer. De modo que cuando me aparté de la librería y nos miramos de frente, se lo dije. Me asombró su respuesta: Hoy estas cosas tienen arreglo, dijo. En el peor de los casos, yo he sido feliz 48 años; hay quien no logra serlo cuarenta y ocho horas en toda una vida.

Al día siguiente, avisé a tus hermanos para que regresaran. Había concluido el veraneo. Óscar nos recomendó al doctor Gil, en Madrid: un hombre pálido, sumido, muy eficaz: un experto ojo clínico. Sin embargo, su casa —con muebles demasiado grandes, libros encuadernados, mala pintura— me produjo una impresión desapacible. Interrogó largamente a tu madre. Luego jugaron a los despropósitos, conmigo de espectador. Le tiraba una pelotita blanca que ella había de atrapar al vuelo, ora con una mano ora con la otra. Le ordenaba asirse la oreja derecha con la mano izquierda y a la inversa; tocarse con un dedo la punta de la nariz. Acto seguido, le hacía caminar en línea recta, con el talón de un zapato pegado a la puntera del otro, guardando el equilibrio, como hacíamos de niños para elegir bandos. Era turbadora la aplicación de tu madre, su esmero, su voluntad de hacerlo bien, como un colegial ante los palotes. A veces perdía el equilibrio o se le escapaba la pelota. Y, entonces, me sonreía: ¡Qué torpe soy! Acto seguido se disculpaba con el doctor: Nunca jugué bien a nada, pero esto es tan sencillo. El doctor Gil tenía la delicadeza de hacer como que no oía. La tomaba suavemente de una muñeca para hacerla girar o la cuadraba poniéndole las manos sobre los hombros. El empeño del doctor, sus contactos levísimos, denotaban que ya estaba afectado por su magnetismo. Era comprensible. ¡Se la veía tan indefensa y altiva enfrascada en aquellos juegos malabares! Hubo un momento, cuando, por segunda vez, trató de tocarse la punta de la nariz con el dedo índice de la mano izquierda, en que se lo metió en el ojo derecho, una desviación incomprensible: ¡Dios mío!, dijo desconcertada, parpadeando. Pero el doctor la tomó de la mano, cogió un punzón e inventó un nuevo juego: Saque la lengua y cierre los ojos. No le dio tiempo de afligirse por su fracaso: Dígame cuándo siente la punzada. Empezó a inspeccionar la parte baja de su rostro, primero la mejilla derecha, que tu madre acusaba instantáneamente, después la izquierda, entre la nariz y la boca, la comisura, la lengua. Empezó a vacilar: No sé; no estoy segura, decía. Luego, en torno a la barbilla, en el bozo izquierdo; nada. Sonreía con los ojos cerrados, expectante. De pronto, el doctor volvió a pinchar dos veces en el lado derecho de la boca: ¡Ahora!, exclamó triunfalmente, retirando un poco la cabeza. El punzón retornó a la zona izquierda, la comisura, el bigote, la aletilla de la nariz. Ella volvía a sonreír. El doctor imprimía ahora al punzón unos golpes secos, que formaban pequeños cráteres en la piel, pero ella continuaba impávida, sonriendo; tal vez imaginaba que este juego era aún más tonto que el anterior. El doctor insistía en explorar la zona acorchada, con cierta violencia, sin obtener respuesta. De pronto levantó el punzón y se sentó a la mesa: Está bien, dijo. Ella abrió los ojos y me miró intensamente, como preguntándome: ¿Qué tal lo he hecho? El doctor anotaba algo en un bloc y, al cabo, levantó la cabeza y la escrutó un instante con sus pequeños ojos rasgados: Esto quizá requiera una intervención quirúrgica, dijo. Y aunque ella le escuchaba impasible, sin mover un músculo, añadió: No se preocupe; hoy estas cosas se resuelven bien en el quirófano. Se me anudaba la garganta y mientras descendíamos las escaleras no pude decir palabra. En el primer descansillo, ella se detuvo y comentó con acento irónico: Como médico será una notabilidad pero la casa parece que se la han puesto sus enemigos.

Sus ideas sobre lo bello y lo feo eran categóricas. Había en ella una predisposición contra lo preparado, lo obvio, lo pretencioso. En las casas le desconcertaba la inclinación al bulto, la aglomeración. Amaba los espacios libres, los muebles desnudos, el brillo espartano de una mesa de nogal. Y aborrecía, en cambio, las vitrinas, la exhibición, los bibelots, los libros en piel, los cuadros demasiado altos. En la naturaleza no era el orden natural sino el desorden lo que admiraba: el caos profundo de una noche estrellada o la frondosidad impenetrable del bosque. En la naturaleza sobraba la cuadrícula, la línea recta, la medida. Como sobraban los remedos: el parque simulando un bosque. Su idea sobre el mundo vegetal era muy severa: debía existir, pero ajeno a toda domesticidad. Le conmovía la belleza de un macizo de flores iguales en el rincón más humilde e imprevisto de un jardín, y, detestaba, por contra, las glorietas de recibo, los arriates ostentosos, la miscelánea de los parterres. Esta faramalla le producía la misma ingrata impresión que una flor en una maceta o un pájaro enjaulado. Para ella las flores eran la imagen de lo espontáneo, de lo libre, lo más opuesto a la organización. Y todo lo que supusiera constreñir su libertad, hacer geometría con ellas, constituía un contrasentido. Sus juicios, que no ocultaba, escandalizaban a los estetas de la ciudad pero nadie solía darlos de lado. La anécdota de César Varelli lo prueba. César llegó de París, consternado con su muerte, y no se le ocurrió mejor demostración de su dolor que depositar en su tumba una corona de claveles rojos. Pero, de regreso a la ciudad, fue sintiéndose incómodo. Conocía la aversión de tu madre a disciplinar las flores, a hacer filigranas con ellas, y, aunque una y otra vez pretendió desechar la idea de su cabeza, el reconcomio llegó a ser tan insufrible que, al fin, volvió sobre sus pasos para remediarlo pero se había echado la noche y encontró el cementerio cerrado.

Entonces, a pesar de su corpulencia, saltó la tapia, localizó la sepultura y deshizo lo hecho, arrancó los claveles del armazón y los desparramó sobre la lápida. No es que aquella lluvia de claveles rojos le entusiasmara pero, al menos, había deshecho la simetría, había roto el esquema. Me sentí liberado, me decía. Y estoy seguro que Ana se habrá quedado tranquila.

Pero, pese a conocer sus preferencias, sus palabras en la escalera del doctor Gil me sorprendieron. ¿Era oportuno su juicio sobre la casa estando su vida en juego? Me miraba como pidiendo mi asentimiento y ello aumentaba mi desconcierto. (Aunque, en rigor, quizá fuera su capacidad para sorprender lo que me deslumbró de ella, lo que a lo largo de los años me mantuvo tenazmente enamorado.) Una vez en la calle, en cambio, me pareció lo más natural del mundo que se encaminara ilusionada a una tienda exquisita y comprara una mantelería para Alicia: Con unas cosas y otras a esta pobre hija la tengo totalmente abandonada, dijo.

Óscar confirmó dos días después el diagnóstico. Se trataba de un tumor, probablemente un neurinoma, y lo procedente era someter a tu madre a una nueva exploración bastante desagradable: una neumoencefalografía. Me sentía conmocionado, como un boxeador contra las cuerdas, y Óscar me vio tan aturdido que se creyó en la necesidad de aclarar: Una exploración de contraste. Insuflar aire en la cabeza para localizar el tumor. Le aparté horrorizado: Calla, no sigas, dije. Ella no objetó nada; simplemente lo condicionó: De acuerdo, dijo, pero de momento vais a dejarme tranquila hasta que Alicia se case.

Entró en un período de agitación que recordaba mejores tiempos: llamadas telefónicas, encargos, visitas, compras, invitaciones. No paraba. Aunque Alicia no se casaba de blanco, las dos marcharon a Madrid a comprar el vestido de novia. Volvió cansada, pero, recostada en el diván, charlaba incansablemente con tu hermana, se reían, dirigía las operaciones. Alicia decía: Para intimar con mamá no hay como casarse. ¡Siempre pensé que sentía predilección por Ana!

En realidad, ella y tú congeniasteis siempre. Salvo en Gustavo, ella tuvo en vuestra manera de ser, incluso en vuestro físico, una influencia superior a la mía. Afortunadamente podía más que yo. Tú coincidías con ella en muchas cosas, en casi todas, pero carecías de su autonomía; antes de dar un paso requerías su parecer. Por otro lado, si adquirías algo bello no disfrutabas plenamente del goce de la posesión en tanto ella no la compartiera. Vuestras charlas telefónicas eran interminables, nunca languidecían. Y, en fuerza de dar vueltas a las cosas, podíais llegar a convertir un asunto baladí en importante y a la inversa. Recuerdo ahora cuando Leo y tú alquilasteis el pequeño chalé de las Rozas. Los planos de la casa, con las mediciones exactas, la acompañaban a todas partes, y ella los iba emborronando con esquemas de muebles cuyo orden alteraba constantemente. Pero cuando terminasteis con la casa, se anunció la niña y la comunicación entre vosotras, salvo tus horas en la Escuela, se hizo permanente. Le hablabas de tu estado, de tus molestias, le consultabas... A ella le alentaba tu confianza. Mediada la gestación, te preocupaba no sentir apenas a la niña, pero ella te decía que no creyeras que la criatura tenía que estar el día entero bailando dentro de ti, ¿recuerdas? Y una vez que la niña nació se hizo ya imposible contar con ella. Cualquier motivo era bueno para desplazarse a Madrid. Su debilidad por los bebés aumentaba con la edad: Compréndeme, decía, diez años sin tener en brazos un bebé. ¿Te das cuenta? Un argumento viciado: la abstinencia, el receso, el mono. ¡Diez años sin tener entre los brazos un bebé! No obstante, cada vez que regresaba, la encontraba perpleja: No es mía. No debo ilusionarme demasiado, se decía. La primera nieta la trastornó. Durante nuestro siguiente viaje al extranjero no llegó a concentrarse; se olvidaba de los cuadros, de su disposición, tarea a la que siempre había dedicado muchas horas. Ahora había de colocarlos yo sólo mientras ella recorría los comercios de la ciudad, no buscando faldones o pañales como, dada la edad de la niña, podría esperarse, sino vestidos o zapatos para cuando cumpliera tres o cuatro años, prendas que con toda seguridad habrían dejado de ser divertidas cuando la niña alcanzase esa edad. Fue una chifladura circunstancial. Probablemente veía en la niña un eco o intuyó, en esta subrogación, la inmortalidad. No puedo saberlo. Lo cierto es que cada mañana, al abrir los ojos, se preguntaba: ¿Por qué estoy contenta? E inmediatamente, se sonreía a sí misma y se decía: Tengo una nieta. Luego, mientras desayunábamos, en el hotel, hacía proyectos a largo plazo; se imaginaba vieja, recorriendo con su nieta la ruta de los castillos del Loira a los museos de Roma. Algunas veces, después de comunicarme sus planes, movía la cabeza de un lado a otro, desalentada: Soy una tonta. La niña, tan pronto cumpla dieciséis años, dirá lo mismo que yo hubiera dicho a esa edad: ¿Dónde voy con este vejestorio? Repentinamente se entristecía. Quería conservarse joven para su nieta. Y, con objeto de granjearse de antemano su favor, salía a la calle y regresaba con un par de zapatos, que en unos años no tendrían aplicación, pero que tú celebrabas con grandes muestras de regocijo. (¿Eran tal vez para ti, para ilusionaros juntas, aquellos regalos?) La presencia de la niña la hacía feliz; sobrevaloraba el hecho de saberse abuela; el mismo vocablo abuela, lo paladeaba como un caramelo, le producía placer. Menospreciaba a los que recurrían a eufemismos para suavizarlo. Gustaba de ejercer de abuela, de proclamarlo. En la clínica, en Madrid, tras la última exploración, con la habitación en penumbra, únicamente la distraía la presencia de la niña. Cada vez que llegaba parecía renacer, observaba sus pasos vacilantes, la cabeza vuelta sobre la almohada, sonreía: Echa el pie lo mismo que su abuelo. ¡Siempre sus perspicaces observaciones! Apenas podía hablar, deseaba estar sola, pero la irrupción de la niña la animaba. Después de verla corretear, nos pedía que descorriéramos las cortinas y se la acercáramos. La analizaba facción por facción, aproximaba los ojos a su carita, la alejaba como buscando una perspectiva, observaba sus manos, las uñas de sus dedos, la densidad de su cabello, sacaba parecidos, y en esta inspección se olvidaba del dolor de cabeza, del aire estancado en su cerebro. Desde que nació, sintió pasión por la pequeña. Y la noche que os detuvieron a Leo y a ti tuvo miedo, temió que su devoción la desbordase, que un celo excesivo pudiera perjudicarla. Se esforzaba en controlarse, en no exteriorizar ternura, en dominar sus emociones. Si su madre no sale pronto de la cárcel sabe Dios qué va a ser de esta criatura, decía con frecuencia.

Cuando Alicia dijo burlonamente una tarde que nada como casarse para intimar con mamá, tenía un punto de razón. Había dos edades en los hijos que la enternecían: los primeros meses y la adolescencia. Ella percibía sin duda el desvalimiento que se produce en los niños a estas edades. Mientras erais bebés pasaba las horas muertas con vosotros en brazos, dibujaba con un dedo vuestros bostezos, las húmedas boquitas, y os estrechaba contra su regazo como si pretendiese meteros dentro de su cuerpo otra vez. Literalmente se conmovía, se la humedecían los ojos. Sin embargo, cuando crecíais y a mí empezabais a divertirme, a ella dejabais de fascinarla, disminuía la atracción que sentía por vosotros. No es que se distanciara, pero os veía suficientes, sin una necesidad imperiosa de ella. Esta actitud volvía a cambiar cuando a los varones les apuntaba el bigote, se les rompía la voz con los primeros gallos y las niñas os desarrollabais. Diríase que revivía en vosotros su adolescencia, los rebuscados problemas de la pubertad. Este proceso del desarrollo lo vivía de cerca, emocionalmente, y es cuando empezaba a anudarse entre vosotros una relación que se hacía especialmente intensa al aproximarse la hora de la separación.

Durante las dos semanas que precedieron a la boda, no conoció un instante de reposo. Era como si preparase su propia boda: quería tener todos los cabos en la mano, controlar hasta el más mínimo detalle. La ceremonia iba a ser sencilla, como la tuya y la de Martín, pero como tu hermana deseaba evitar el espectáculo, decidió casarse en el Monasterio del Santo Sudario, fuera de la ciudad, y allí mismo, en los claustros, dar una copa. El proyecto originó frecuentes desplazamientos, en particular por causa de los frailes, pues sospecho que desde la Edad Media no se casaba nadie allí. Una semana antes, el niño de Paula se puso enfermo, con unas fiebres pertinaces, y ella pasaba a su lado los ratos libres que la dejaban los preparativos. El bebé, ahora que la niña empezaba a dejar de serlo, era su juguete preferido: le bañaba para que le bajara la fiebre, le friccionaba con agua de colonia y luego le medía el tórax, la distancia de hombro a hombro, la mano, el pie: Este niño es extraordinariamente grande, comentaba. No me explico cómo nació con esa facilidad. Y miraba largamente a Paula, tan grácil y esbelta, como si nos hubiera hecho trampa. La indefensión, la dependencia, la disponibilidad del bebé, despertaban en ella un súbito afán protector.

En esos días se acostumbró a vivir con un vaso de agua en la mano. Para quien ignorase el contenido del vaso, su apariencia era la de una bebedora impenitente. Iba de un lado a otro con él en alto, le ponía hielo, y cada vez que conversábamos, entre frase y frase, bebía un pequeño sorbo como un conferenciante a quien se le secara la lengua. Lo curioso es que adoptara estos hábitos naturalmente, sin relacionarlos para nada con la enfermedad. En las sobremesas, solíamos sentarnos frente a frente y charlábamos. Yo seguía en el yermo y estas pláticas me serenaban un poco. Asentía cuando ella me preguntaba si bajaban los ángeles, engañándola a sabiendas. Ella también intentaba engañarme diciéndome que se encontraba algo mejor que la víspera. En aquellas sobremesas, empleábamos palabras ambiguas, solapadas. Ninguno de los dos éramos sinceros pero lo fingíamos y ambos aceptábamos, de antemano, la simulación. Pero las más de las veces, callábamos. Nos bastaba mirarnos y sabernos. Nada importaban los silencios, el tedio de las primeras horas de la tarde. Estábamos juntos y era suficiente. Cuando ella se fue todavía lo vi más claro: aquellas sobremesas sin palabras, aquellas miradas sin proyecto, sin esperar grandes cosas de la vida, eran sencillamente la felicidad.

Pero, tras la sobremesa, acechaba de nuevo el suplicio del lienzo en blanco. Ante él me invadía una sensación de frustración, como si nunca hubiera pintado: su blancura me mareaba y, en principio, no osaba mancharlo y, si me resolvía a hacerlo, resultaba inevitablemente un borratajo. Para consolarme pensaba en mejores días, en mis éxitos, en mis cuadros más celebrados, y dudaba de que fuera yo su autor. Se daba la paradoja de envidiar al pintor que había sido, al pintor que era yo seis meses antes, y me preguntaba si era posible que fuésemos el mismo hombre. Mas cuanto más me esforzaba en concentrarme, menos cosas se me ocurrían, más se acentuaba la sequedad. El convencimiento de que mi pintura se estimaba, me permitía ganar dinero, no me aportaba el menor consuelo. ¿Qué valor tenía saber que había sido, si había dejado de ser? Incluso llegué a pensar que mi importancia como pintor fue un vano invento, que únicamente existió la voluntad de tu madre de que lo fuera y, ahora que ella languidecía, el gran fraude se ponía de manifiesto. Ciertamente tenía dos exposiciones en Europa y un eficaz marchante, pero los cuadros se iban vendiendo y había que reponerlos. ¿Con qué? La ansiedad acrecentaba mi ineptitud y, con objeto de evitar la total desmoralización, recurría a los cuadros arrinconados, volvía sobre ellos, los retocaba una y otra vez, suscitándome la mezquina impresión de que creaba. Era hueca ilusión, pero semejante argucia me imbuía al menos una idea de disciplina, de que aún era capaz de trabajar. En el fondo, estaba tan seguro del carácter definitivo de la crisis que no osaba hablar de ella, y a los marchantes les daba largas, nunca explicaciones. ¿Para qué, si no iban a entenderme? Afortunadamente, ella no se daba cuenta de la situación y yo podía rehusar invitaciones y conferencias sin despertar su recelo. Me atenía a una coartada ética: un pintor que no sabía pintar no tenía derecho a disertar sobre pintura. Con este sofisma me consolaba. Lo procedente, pues, era aguantar, dejar transcurrir el tiempo. Pero ¿qué podía aportar el tiempo que no fueran nuevas tribulaciones?

A Alicia le regaló por su boda lo mismo que os había regalado a Martín y a ti: la entrada de un piso modesto, en el ensanche, junto al río. No era una urbanización bella pero sí amplia y ventilada. Ella lo resumía en un adjetivo preciso: oxigenada. Una casa oxigenada, agradable de vivir. El piso aportó a su vida una distracción suplementaria. Como anteriormente contigo estudiaba los planos, los emborronaba de proyectos, iba a la casa con una cinta métrica y medía las habitaciones una y otra vez. Luego, sobre el papel, las amueblaba. Enseguida, se formó una idea del conjunto, de los espacios libres, de los huecos. Alicia vacilaba, pero tu madre insistía: Libros; libros y cuadros, ¿qué quieres poner ahí? Eran tantas las librerías de recurso que diseñó en los planos que Alicia dudaba que algún día pudiera llenarlas. En unos días proyectó la decoración del piso. Discurría de un sitio a otro, con el vaso de agua en la mano, y esta actividad le divertía, le hacía olvidarse de su enfermedad, aunque el entumecimiento de la mejilla progresara y, poco a poco, se le fuera agrietando el labio inferior.

Una tarde Mar nos sorprendió: ¡La niña ya anda!, gritó. Corrimos al salón y tu hija estaba sola, de pie, inestable, con un babero en la mano, y en cuanto intentaba moverse se tambaleaba, y buscaba un punto de apoyo. Acababa de cumplir once meses, pero tu madre dedujo de este detalle, no infrecuente, que se trataba de una niña superdotada. Así te lo dijo en la cárcel, durante la última visita, mientras yo me devanaba los sesos buscando el modo de informarte de su gravedad sin alarmarte. Lo hice tan torpemente, di tantos rodeos, que te dejé angustiada: Es benigno. Los médicos insisten en su benignidad, te decía. Pero tú, con muy buen acuerdo, apuntaste que dentro de la cabeza, salvo un par de ideas, no podía haber nada benigno. De modo que al despediros, os mirasteis largo rato a los ojos y, en mi visita siguiente, tu madre ya en coma, el encefalograma plano, volviste a mirarme a mí de la misma manera, con la mirada pasiva de los sentenciados: Por favor, cuida de la niña, me dijiste.

Afortunadamente a Gustavo se le normalizaron las transaminasas a poco de regresar a casa. Asistió a la boda de Alicia con el resto de tus hermanos, los tíos, mis consuegros, y poca gente más: Óscar, César Varelli, Primo, Evelio Estefanía, Verónica y el inevitable García Elvira, cuya senilidad soportó tu madre hasta el final. Poca gente para mucha iglesia, un enorme templo construido en tres etapas, con intermitencias de siglos. Y, tal vez por eso, por el espesor de sus sillares, o quizá debido a vuestra ausencia, la tuya y la de Leo, producía una impresión de frío que paulatinamente se fue atemperando merced al órgano y a los cánticos del grupo. Resultó una boda frugal y yo, desde el presbiterio, no hacía más que volver los ojos y mirarla: su rostro moreno sobre el blanco de la blusa, la voz inflamada, el frágil cuello erguido, cantando. Con su traje de terciopelo negro parecía una colegiala, y ponía tanta unción, que su voz destacaba sobre las de los demás y, en algunos pasajes, se diría que era ella sola la que cantaba. Al salir a los claustros, su alegría se desbordó: atendió a los invitados, concertó los grupos, se preocupó del servicio, acomodó a García Elvira y a las personas de edad, aunque ella permaneció de pie. No comió ni bebió, pero su inseparable vaso de agua parecía una fuente inagotable de energía. Tan sólo se sintió contrariada cuando, en un momento dado, le quité distraídamente con la punta de un dedo una miga de la barbilla. Tuvo una reacción desproporcionada, lo mismo que si alguien la hubiera sorprendido desnuda: ¡Qué horror!, dijo. Se limpió ásperamente los labios con una servilleta. No me había dado cuenta, se justificó. Asentí y me esforcé en quitarle importancia pero ella repentinamente se sintió insegura. Trató de recuperarse, y en alguna medida lo consiguió, pero su exagerada pulcritud no le permitió olvidar el incidente. De vez en cuando se aproximaba a las cristaleras del claustro para revisar la zona acorchada de su rostro. A partir de ese día, se acompañó de un espejo minúsculo que sacaba de la cartera cada cinco minutos para mirarse la cara. Fue un hábito defensivo, como el del vaso de agua, y, como éste, asumido con la mayor naturalidad.

De regreso, ya en el coche, me sonrió con un lado de la boca. No noto la lengua, me dijo. ¿Te importa que cierre un rato los ojos? Se recostó en el asiento, a mi lado y, durante la media hora que duró el trayecto, no pronunció una palabra. Esa noche roncó cuando dormía. Era una novedad tan insólita que se despertó a sí misma asustada y dio la luz. ¿Te ocurre algo? Es horrible, pero me parece que estaba roncando. Se mostraba agitada, no podía creer lo que decía. Tomó el vaso de agua de la mesilla y bebió después de humedecerse los labios. Me estoy volviendo desagradable, comentó. Se tiró de la cama y se marchó a la habitación independiente que se había habilitado.

A la mañana siguiente, mientras desayunábamos, la descubrí con el rostro asimétrico. Bajé la vista, creyendo que se trataba de una alucinación, pero al levantarla de nuevo, la visión se confirmó: no era una alucinación. Su ojo derecho parpadeaba, en tanto el izquierdo se mantenía inmóvil, hueco, insondable. El mismo desequilibrio se advertía en la boca: mientras la comisura derecha sonreía, la izquierda se desmayaba en un gesto de gravedad. Quise aferrarme a su mitad viva pero el miedo se había instalado en mí, la taza de té me temblaba en la mano y el estómago iba fraguando como si fuese cemento. ¿Te ocurre algo? Me hablaba por el lado derecho de la boca y yo captaba sus palabras por el oído izquierdo, mientras su ojo negro desorbitado me miraba fijamente, sin la menor piedad. Encogí los hombros y me acomodé en la mesa, los ojos contra las palmas de las manos, hasta que noté su brazo sobre mis hombros. Entonces, al levantar la cabeza, advertí que la disparidad había desaparecido: había vuelto a ser ella misma. Callé. No le di explicaciones sobre el extraño fenómeno, ni lo comenté con nadie; pero me dejó la amarga impresión de que lo que había visto a través de su pupila estancada era la sombra de la muerte.

Volvimos por Madrid dos días después para someterle a la radiografía de contraste. Fue un reconocimiento refinado y cruel, en un día de octubre prematuramente frío, y tres horas más tarde, cuando la subieron a la habitación, temblaba como una hoja. Me rogó que entornara las ventanas y la dejáramos sola. Los familiares y amigos quedaron a la puerta y el doctor Gil confirmó su diagnóstico: tumor benigno en el nervio acústico, casi con seguridad un neurinoma. Aunque familiarizado con estas escenas, me observaba compasivamente con sus ojitos rasgados: Se operan fácilmente. No es urgente pero tampoco deben demorarlo demasiado, dijo. Nicolás, en vista de mi silencio, le preguntó por un neurocirujano de prestigio. Dio dos nombres. El mejor, apunté yo. No se atrevió a comprometerse. Las dos cumbres están fuera, pero hoy también pueden hacerlo aquí. La palabra *cumbres* me había obsesionado, pero cuando se lo propusimos a ella, no vaciló: Mejor Madrid; prefiero no alejarme demasiado. Afortunadamente a Óscar le pareció acertada la elección del doctor Calvo, así que marché a verle a Madrid. Era un hombre enérgico y contenido, distante pero seguro de sí mismo; probablemente lo que yo necesitaba en aquel momento. Nicolás, que me acompañaba, sacó adelante la entrevista. El optimismo del doctor superaba al del neurólogo: ¿Riesgo de muerte? Digamos un cinco por ciento. Me confortaba oírle, pero Nicolás le fue llevando insensiblemente a otro terreno: el peligro de abrir el cofre, de hurgar en un mecanismo tan delicado. El doctor examinó en silencio los diagnósticos, las radiografías normales y las de contraste. La localización es muy definida. Lo más probable es que tengamos que sacrificar el facial, dijo al fin. ¿El nervio? Sonrió y dobló la cabeza: Rompemos el equilibrio del rostro, ya lo sé, pero algo hay que jugarse. Se me endurecía el estómago; se me bloqueaba. Nicolás le hizo ver que su madre era aún una mujer joven, con un alto concepto de la belleza. Mientras hablaban, yo recordaba al profesor Anta, convertido en una caricatura de sí mismo al serle seccionado el nervio facial. Tan deformado estaba que le habían dado de baja en el Instituto donde enseñaba. Tenía la sensación de hallarme dentro de un túnel con las dos salidas cegadas: cualquiera que fuera la solución del problema, tu madre estaba abocada a transfigurarse, a dejar de ser la mujer que habíamos conocido. Determinamos la fecha: el 7 de noviembre. Previamente el doctor verificaría un reconocimiento de la enferma aunque las radiografías de contraste eran suficientemente explícitas.

Al llegar a casa nos encontramos con Alicia y Juan que habían interrumpido su viaje de novios: Estoy más tranquila aquí. Tu madre fingió enfadarse pero la noté aliviada. Tal vez el regreso de tu hermana fue la última satisfacción que experimentó puesto que todo se iba agravando por días: la paresia, el acorchamiento, la sordera. Y aunque conservaba su gentileza, se acentuaba también el decaimiento físico, que yo trataba de paliar sacándola al campo, sometiéndola a un leve ejercicio diario. Le gustaban los pinos, los únicos árboles cálidos, según decía. La tamuja crepitaba bajo nuestros pies y el sol del membrillo filtrándose entre las acículas le agradaba. Una de aquellas mañanas que nos sentíamos más próximos, le comuniqué lo del facial, la posibilidad de que el cirujano, para raer el tumor, hubiera de cortar el nervio. ¡Había temido tanto aquel momento! Caminábamos cogidos de la mano y en el instante de la revelación se la oprimí. El facial es el nervio que equilibra el rostro, añadí ante su falta de reacción. Su pequeña mano, dentro de la mía, no hizo el menor movimiento; parecía un pájaro muerto. Me detuve y la tomé por los hombros: No irás a decirme que no te importa. Ella no se alteró. Dijo al fin, serenamente: Tal vez sea preferible eso a no vivir. En todo caso, siempre será mejor que engordar quince quilos. Por la noche, al comentar sus palabras, Alicia, sorprendentemente, se puso de su parte. Todavía quise hacerles ver la desproporción de la alternativa, pero ella zanjó la discusión en dos palabras: La estética también cuenta.

Entró noviembre sin nubes, ni frío; tan sólo unos jirones de niebla blanda que, a medida que se disipaba, iba levantando el cielo y tiñéndolo de azul. Y aunque el sol tenía un tono descolorido salíamos al campo y paseábamos lentamente durante dos horas. Yo buscaba en mi cabeza temas de conversación que pudieran interesarla, pero me sucedía lo mismo que ante el lienzo en blanco: no se me ocurría nada. A mayor empeño, mayor ofuscación. Se lo expliqué una mañana que, como de costumbre, caminábamos cogidos de la mano: ¿Qué vamos a decirnos? Me siento feliz así, respondió ella. Yo sabía que callaba cosas pero ignoraba qué y, con su silencio, me negaba cualquier posibilidad de consuelo.

Una tarde me comunicó que deseaba confesarse. No revistió con tintes sombríos su deseo: Iré a Madrid más tranquila, se justificó. Luego mencionó a Julio Bartolomé, el cura que os casó a Alicia y a ti. Salvo excepciones, a ella no le agradaban los curas. Antes de caer enferma, hablaba con desdén de las homilías mostrencas o pretenciosas, faltas de sencillez. No aceptó que Julio viniera a casa. ¿Por qué? Puedo ir yo a la parroquia perfectamente. No quedó tranquila tras la confesión. Había un extremo que la mortificaba y que Julio no acertó a conjurar. De niña había incumplido una promesa y el sentimiento de culpa le había perseguido toda la vida. Y cuando el cura y yo, como puestos de acuerdo, tratamos de hacerla ver que se trataba de un escrúpulo pueril, se enojó: En estas cosas la edad no cuenta, dijo. Aunque entonces fuese una niña, yo sé que hubo pereza y dejadez. Intentamos calmarla en vano; nos enredaba en su lógica irrebatible: El pecado es la conciencia. Y la mía no está tranquila. Bartolomé llegó a preocuparse. Le sugirió un sacrificio equivalente, una pena subsidiaria, pero ella no se avenía: Una limosna ¿verdad? Y ¿qué mérito tiene ese sacrificio si el dinero no me falta?, dijo. La cuestión estribaba en evaluar el significado de la omisión en su mente infantil y establecer la equivalencia adulta. Era preciso reflexionar, abstenerse de sugerencias precipitadas con las que sólo conseguíamos sacarla de sus casillas. En el fondo, creo que este nuevo problema la desvió de sus calladas obsesiones, alivió la tensión de aquella espera, y, en cierto modo, fue positivo para ella. Pero tenía tal prisa por hallar una solución que llegó a desazonarme. Julio Bartolomé subía cada tarde a tomar café y deslizaba tímidamente nuevas propuestas que ella iba descartando, sucesivamente, una tras otra. Durante aquellas largas sobremesas, tan concen-

tradas que se diría que estábamos diri-
miendo el misterio de la Trinidad, ella
sostenía en la mano su vaso de agua, y se
miraba constantemente la boca en el espejo. Julio la observaba con atención y
una tarde le dijo de improviso: ¿Por qué
no prescindes del espejo unos días, hasta
tu marcha a Madrid? Esta vez no se enojó. Se le quedó mirando, la cabeza ligeramente ladeada, con cierta perplejidad:
Eso ya tiene sentido, dijo al fin. Dio media vuelta y encerró el espejo en un cajon-
cito del bargueño. Se volvió sonriente: Ya
está, dijo. Su extrema tenuidad, su flaco
cuello erguido, le hacían parecer más
alta. Sustituyó el espejo por una servilleta de papel que se pasaba con frecuencia
por los labios. Y, en su defecto, se acari-
ciaba la barbilla con la mano simulando
una actitud cavilosa.

Día a día se acentuaban las molestias y
no parecía lejano el momento del total
derrumbamiento. Unos y otros procurá-
bamos acompañarla, pero ¿qué sería de
ella en los momentos de soledad, o en la
alta noche, durante sus insomnios interminables? Movido por el deseo de serle
útil me convertí en su sombra. Y, cada

tarde, después de la sobremesa, bajaba silenciosamente del estudio y la buscaba por la casa. Ordinariamente la encontraba escuchando música o leyendo un libro en la mecedora. La música variaba cada tarde, pero el libro era siempre el mismo: los poemas de Ungaretti, un volumen color de rosa, en edición sudamericana. Pero una tarde, al bajar del estudio, no oí música ni la encontré leyendo en la mecedora, aunque el libro seguía allí, abierto boca abajo, sobre la mesita supletoria. Creyéndome solo, lo cogí, y, al volverlo, me hirió el título del poema «Agonía» y, casi mecánicamente, pasé los ojos por los versos: «Morir como las alondras sedientas / en el espejismo. / O, como la codorniz / una vez atravesado el mar / en los primeros arbustos... / Pero no vivir del lamento / como un jilguero cegado». Inesperadamente, su rostro apareció tras el respaldo del sofá donde yo me apoyaba. Me abordó solícita: ¿Quieres algo? Me quedé tan cortado que dejé el libro sobre la mesa sin saber qué decir. Ella se pasó la mano por la frente en un gesto de abandono. Me dolía un poco la cabeza y me tumbé un rato, dijo. Me senté a su lado y charlamos. Solía ocurrir que la conversación fluía cuando no la buscábamos, cuando impensadamente nos encontrábamos lejos del lugar y la hora en que solíamos charlar. Entonces surgían palabras, ideas, incluso proyectos... Sin embargo, estas expansiones provocadas por la sorpresa, no me engañaban. Yo sabía, por ejemplo, que el anuncio del corte de pelo la había llenado de zozobra, aunque se hubiera abstenido de comentarlo. No obstante, esa noche, en la sobremesa de la cena, hizo una parodia de la pelada aplastándose el cabello con una malla y estirándose con un dedo hacia arriba la comisura de la boca. Así seré yo dentro de unos días, dijo. Este sarcasmo fue su única manifestación de rebeldía. Debió de ver mi gesto de desagrado porque se quitó la malla y puso cara de sorpresa fingida: No debes preocuparte, dijo; nada cambiará entre nosotros. Asistiré a tus conferencias en la última fila y, al final, me acercaré a felicitarte como si fuera una extraña. Hablaba muy deprisa, excitada y reía en las pausas, a destiempo, como si hubiera tomado algo. Empezó a abrazar a Mar y a Gus y yo me fui a telefonear a

Óscar, alarmado. A él no le preocupó su reacción: Es natural, dijo. Habrá tomado un estimulante. Se enmascara para no desfallecer.

Por las mañanas, insomne y angustiado, solía tumbarme en el diván del estudio y en la duermevela del primer valium y la primera copa, pensaba que mi incapacidad se debía a que ella era mi motor y el motor se había averiado. Miraba mis manos, pesadas e impedidas, tiznadas de pintura, la cicatriz de infancia en la yema del pulgar, las uñas decoloradas por el aguarrás. Eran manos agotadas, sin presente ni futuro, inútiles. Me cubría los ojos con ellas y evocaba los días fecundos, cuando pintaba horas enteras sin esfuerzo, ensimismado, como si alguien, antes de dar una pincelada, ya me hubiera sugerido la siguiente. Una voz misteriosa me soplaba la lección entonces y yo lo atribuía a los ángeles, pero ahora advertía que no eran los ángeles sino ella; su fe me fecundaba porque la energía creadora era de alguna manera transmisible. A veces barruntaba que se trataba de un sueño paradójico pero, en cualquier caso, allí, tumbado en el diván, embotado por los sedantes y el alcohol, llegaba a la conclusión de que la actividad creadora es imposible si alguien no te empuja por detrás, no te lleva la mano.

De este modo fui adquiriendo manías: yo era un médium, no un pintor, empecé a morderme las uñas y abrigaba mi estómago con la palma de la mano, allí donde creía recibir los golpes. Se me envenenó el humor, despedía a los importunos sin miramientos y si ella me preguntaba por qué me había vuelto tan hosco con la gente, yo callaba, porque no podía decirle que me enfurecía porque ella se estaba muriendo y nunca podría volver a pintar. ¿Era, tal vez, esto último el motivo de mi angustia? ¿De quién me compadecía entonces, de ella o de mí? En cualquier caso, yo deseaba ayudarla, aunque no dejara de advertir que era inútil tratar de restituir de golpe lo que uno ha recibido a lo largo de una vida. Concentré toda mi atención en las noches, las pasaba en vela, buscando los *primeros arbustos* donde ella, como la codorniz, escondía su agonía. Escuchaba a la puerta de su dormitorio circunstancial. No se oía nada; no rebullía, no roncaba, ni siquiera se la oía respirar.

Una noche me asaltó la idea del suicidio y no me pude controlar; de una manera impensada, abrí la puerta y di la luz. No había nadie. La cama no estaba usada, aunque tal vez la colcha conservara la huella de su cuerpo. Corrí a la cocina, luego al salón, al dormitorio de Mar y de la niña, junto al nuestro, al de los chicos, sin resultado. Entonces, subí al estudio. Desde el rellano la descubrí ahí, en el diván, bajo la pálida luz del piloto pasando un cuadro tras otro, maquinalmente, como quien mira fotografías. Eran viejos cuadros deslucidos por el tiempo y el retoque. Estaba descalza, sentada sobre sus pies desnudos, y en el suelo, al alcance de la mano, el inevitable vaso de agua. Entre sus labios temblaba una sonrisa melancólica, tan pequeña que era más bien un esbozo. No había advertido mi presencia, pero cuando subí otro peldaño, dirigió los ojos a la escalera sin el menor sobresalto; sonrió al verme: No bajan los ángeles ¿verdad?, dijo. Me miraba resignada, con una pálida piedad. Yo asentí con la cabeza. ¿Hace mucho tiempo? Hice un esfuerzo: Desde que enfermaste, dije. Dobló la cabeza como solía hacer, buscando una perspectiva más favorable para mirarme: Pero supongo que no tendrá nada que ver una cosa con la otra, añadió. Fue algo imprevisto. Iba a responderle que no, que mi sequía actual era una crisis más, que pasaría como habían pasado otras, pero, repentinamente, titubeé, se me aflojó la garganta y rompí a llorar. Nunca había llorado ante ella y, entonces, me cogió de las manos y me sentó a su lado, en el sofá, dejando que mi cabeza reposara sobre su hombro. Me acarició la frente: No te aturdas; déjate vivir, decía. Súbitamente le confesé que no eran los ángeles, sino ella la que pintaba por mí, que yo me limitaba a ser un médium, un eco de su sensibilidad. Aproximó la cabeza para mirarme fijamente a los ojos: Eres tú quien pinta; métetelo en la cabeza, dijo. Señalé los cuadros arrinconados: Ya lo ves, añadí descorazonado. Me besó espontáneamente en la mejilla y dijo: Primo dice que el artista es un Guadiana que aflora y se sumerge alternativamente. Rodeé con mi brazo sus frágiles hombros y la atraje hacia mí. Veía sus ojos tan próximos que me ofuscaban: Estás un poco trastornado con mi operación, eso es todo. La besé. Debes serenarte, añadió. Nos besamos otra vez, luego muchas, cada vez más honda y frenéticamente, y acabamos amándonos allí mismo, sobre el diván, como habíamos hecho otras veces. Fue nuestra despedida.

A partir de ese momento desistí de buscar los *primeros arbustos* del poema. No existían. Ella no necesitaba un escondrijo para morir sino arrojo para *no vivir del lamento como un jilguero cegado*. Busqué de nuevo el libro de Ungaretti y no me sorprendí cuando vi que, en efecto, había subrayado los dos últimos versos del poema. Al día siguiente telefoneé a Verónica para preguntarle cómo la veía: Muy valiente, ¿no? A Ana no la parte un rayo. Ignoraba yo hasta qué punto Verónica sabía: ¿Te ha dicho lo del facial? Abrió mucho los ojos, comprensiva: Claro. Dice que mejor eso que engordar quince quilos. García Elvira también estaba de su parte: ¿Quieres decirme qué sería de Ana con esas adiposidades? Yo callaba. Hasta tal punto dudaba de mi juicio que terminé por admitir que el resto del mundo tenía razón, que la estética era lo primero. Además, en aquellos días, veía a tu madre vivir con tanta placidez, que llegué al convencimiento de que no tenía derecho a perturbarla. Alguna vez sí, se derrumbaba en un sillón, la cabeza en el respaldo, una compresa de agua de colonia sobre la frente, pero sin ninguna afectación: Ese dichoso reconocimiento me ha dejado la cabeza como una escopeta de aire comprimido, decía. En una ocasión se refirió vagamente a un futuro en el que ella no participaría: Esta mañana he visto a Inés Villena; me ha preguntado por ti; es tu fan más apasionada. Adoptaba un aire candoroso pero no conseguía enmascarar su deseo de dejar las cosas arregladas. Yo, como de costumbre, lo tomé a broma: ¿La soltera de oro?; pero ella iba a lo suyo: Está más atractiva que hace veinte años. De improviso, al ver mi indiferencia, aludió al enojoso episodio que tanto temía: A lo mejor mañana cambias de opinión, dijo.

Su pelo era para mí algo tan esencial que demoré su sacrificio hasta última hora. Nos acompañó Alicia, y su peluquera, de la que me había hablado como una muchacha irresponsable, se enfrentó a su cabeza con una solicitud extrema. No sé si porque mi presencia la cohibía, pero no acertaba a hablar. Simplemente respondía a tu madre con monosílabos y una vez que tu hermana se sentó junto al balcón y abrió una revista se encerró en un mutismo absoluto. Yo la miraba hacer, apoyado en el quicio de la puerta, sin resolverme a entrar. Todos pretendíamos imprimir un aire de cotidianidad al acto, cuando lo cierto es que existía tal tensión como si estuviéramos asistiendo a los preparativos para decapitarla. La chica levantó tímidamente los cabellos de la nuca: ¿Corto aquí? Le brillaban los ojos cuando tu madre la animó: Corta; no te preocupes. Dio el primer tijeretazo y en el silencio de la pequeña habitación se oyó el blando impacto del mechón al golpear la tarima. Tu madre sostenía en su regazo el postizo que comprara el día anterior. Se lo había probado docenas de veces en casa: unas, sobre la frente; otras, encasquetado en la nuca; como un solideo, después. En cualquier caso, acompañaba la prueba de un comentario irónico y apuntaba un parecido. ¿Te importaría peinarme luego esta peluca? Es horrible, de una pieza, como un casco; no la puedo soportar, dijo de pronto. La chica iba separando mechones de pelo y metiendo la tijera en la base. Inopinadamente ella levantó una mano e interrumpió la operación: ¿Por qué no te vas a dar un paseo? No haces falta aquí, me dijo. ¿Cómo voy a dejarte sola? Jugaba la baza de hacerme imprescindible, el papel del hombre fuerte: Ya me acompaña Alicia; es suficiente, añadió. Me apresuré a desertar. Me sentí justificado y huí, bajé las escaleras de tres en tres, sin aguardar al ascensor. Pero la fuga me dejó incómodo. Abordé a Alicia tan pronto llegó a casa: No ha pasado mal rato; en absoluto. Ha estado serena, me dijo. Tenía un aire falsificado con aquel postizo en la cabeza, pero no paraba de discurrir, de proyectar cosas; incluso habló de llevarte la niña a la cárcel antes de ingresar en la clínica, pero me opuse. Prefería verla tranquila, seguramente porque, de alguna manera, relacionaba la excitación con el riesgo. Me hallaba frente a ella, en la sobremesa, el sol de membrillo en las ranuras de la persiana y, quizá por un efecto de luz o porque aquel casquete la desfiguraba, el caso es que la expresión de su mirada cambió súbitamente por segunda vez en pocos días, y mientras su ojo derecho refulgía luminoso y dulce, el izquierdo quedó hueco, desorbitado, como la boca de un pozo. Eché la cabeza hacia atrás hasta topar con el respaldo del sillón, pero la horrible visión no desapareció. Sentí el gemido del estómago al contraerse pero no dije nada, esperé, angustiado, y cuando ella cambió de postura para beber un sorbo de agua el equilibrio retornó a su rostro. Me esforcé por encontrar mi propia voz en lo hondo del pecho: En Madrid nos hemos citado con Primo para ver su nuevo apartamento, dije. Me refería al viaje del día siguiente. Habrá que oírle cuando me vea con este adefesio, comentó ella. Pero Primo tuvo la delicadeza de no aludir a su peinado y ella, mientras recorríamos el piso, habló apasionadamente de aciertos y posibilidades, absorta en la contemplación del viejo Madrid que se divisaba desde la terraza. Disponía de unas llaves muy precisas para controlar el pasado y el futuro; sabía disfrutar del presente en toda su intensidad. Y, luego, al abandonar el piso, oí cómo decía a Primo que me atendiera, que estaba consternado, y él, obedientemente, se rezagó y se puso a mi lado. Tu madre caminaba delante con tus hermanos, reían con cierta futilidad y, en un punto, nos separamos. Ellos se repartieron entre tu casa y San Julio y yo quedé con ella en la clínica, en un catre instalado bajo la ventana. Me sofocaba aquel ambiente de hospital donde casi podía divisar las miasmas pululando en el aire recalentado, pero ella no objetó nada: Una habitación decorosa, dijo. Con la palabra decorosa designaba las cosas desnudas, despojadas, funcionales, ni feas, ni bonitas, hechas para servir. Una habitación decorosa, repitió frunciendo los hombros. Y, al poco rato, llegó un doctorcito para extraerle sangre y ella extendió el brazo dócilmente y, a la mañana, tras una noche de insomnio, volvió el mismo doctor a preguntarle si había padecido hepatitis. ¿Hepatitis? No, que yo recuerde. Le divertían estos errores, como si viera tropezar en la calle a un hombre presuntuoso: ¿Por qué me pregunta eso?, dijo. Mi hijo la padeció este verano. Problemas de coagulación, respondió el doctorcito, un hombre tímido, apueblado, sin sonrisa, a quien únicamente la bata verde redimía. Me miró con sus ojos castos, un poco extraviados, y me explicó que había que demorar la intervención por la propia seguridad de la enferma. Sufrí esa desazón característica del hombre que se ve frenado después de haber cerrado los ojos y decidido afrontar una situación arriesgada. ¿Cuánto tiempo? Depende; hay que prepararla, cuatro, cinco días, no puedo precisarle, respondió.

Tu madre aceptó el aplazamiento alborozada, como un escolar ante unas vacaciones suplementarias. Nos organizamos de acuerdo con sus deseos. Las mañanas, después de pasear una hora por los jardines de la clínica, transcurrían en el Prado, yo con el Goya negro, ella con el Greco. Es más espiritual; no estoy para dramas, se justificaba. Dos horas más tarde nos reuníamos con tus hermanos para comer en tu casa, ella se echaba un rato y después nos íbamos al cine, a la primera sesión, merendábamos en casa del tío Juan, con mis hermanos, y a las ocho volvíamos a la clínica, ella a su cama, yo a mi catre penitencial. Este plan de vida fuera de casa, con el espejito a mano, sin obligaciones que atender, suscitó en ella una euforia pueril; me hizo acompañarla al zoo y al

Museo de Cera, se abrió al pasado, y en nuestros paseos matinales, entre las hojas secas, reconstruía nuestra vida en común, la pequeña historia de nuestros amores adolescentes, la penuria franciscana de entonces, la Universidad, el primer beso, la Medalla del Salón de Otoño, la boda, la beca en París, el semestre en Washington, los hijos, los nietos, vuestro encarcelamiento. Tenía el privilegio de ver las cosas por su lado optimista y yo le seguía la corriente, pese a que aquella súbita evocación me parecía de mal agüero. Y aunque ella se atenía a disfrutar sus vacaciones sin contar los días, yo regresaba a la clínica cada noche con el temor de que fuera el último. Mas, en contra de lo predecible, la víspera no dramatizó, vivió la jornada como otra cualquiera e incluso resucitó los años de estudiante con una coquetería y una ilusión que no cuadraba con el momento. Estaba echada en la cama, con un camisón azul abierto, la almohada doblada bajo la cabeza postiza, y a cada rato bebía un sorbito de agua del vaso de la mesilla. ¿Puede saberse por qué te fuiste de la Universidad si tanto te gustaba? Ella no dejaba de reír, coqueteando con sus recuerdos: Una cosa eran las personas y otra los libros. Había profesores muy guapos que recomendaban libros muy feos, en modo alguno recomendables. Continuó hablando largo rato hasta que, de madrugada, le invadió repentinamente el sopor y se quedó dormida. No se despertó hasta que el capellán le llevó la Comunión a las 7 de la mañana. La había visitado la tarde anterior para ofrecerle sus servicios: Aquí curan a casi todos, dijo, pero, si lo desea, puedo venir a la hora que usted me indique. Tenía cara de mandarín, aunque su rostro no era amarillo sino rojizo, un poco congestionado. Fue discreto, empero. Tus hermanos ya estaban allí cuando comulgó y luego, llegado el momento, Nicolás empujó la camilla hasta el ascensor mientras Martín y Pablo la escoltaban tomándole cada uno de una mano. Y antes de entrar en el montacargas me sonrió e hizo un ademán de despedida. Me puse la bata blanca y las calzas desinfectadas y subí al antequirófano con tus hermanos y traté de abstraerme en la resolución de un crucigrama. Sin embargo no lo logré; seguía consciente del paso de las horas, pendiente de Ovidio Pozas, el amigo de Martín, médico del equipo, que subía de vez en cuando a darnos las novedades: Todo va bien. No ha habido sorpresas. A mediodía nos indicó que la operación había terminado y que el doctor Calvo nos esperaba en la habitación para informarnos. Primitivo Lasquetti había llegado en tanto; era la única persona ajena a la familia allí presente y me conmovió su fidelidad. El doctor Calvo se presentó al frente del equipo, con un no sé qué de marcial en su corpulencia: La operación ha sido un éxito. El tumor era, en efecto, benigno, un neurinoma y su localización la prevista. La enferma está recuperando la conciencia y ha iniciado en la UVI el período postoperatorio, dijo. Yo asentía sin entusiasmo, porque todo aquello lo había dado por descontado, me parecía natural, y, en cambio, el doctor no había hecho referencia al problema del nervio. De ahí que cuando concluyó su informe y tus hermanos y tíos comentaban la noticia alborozados, le pregunté en un aparte por él. Me miró de arriba a abajo como si bajase del limbo: Ha habido que sacrificarlo, claro. Era necesario para disecar el tumor, dijo. No sé si le di las gracias, pero cuando, segundos después, subí a la UVI y vi su carita levemente sofocada, la cabeza vendada, sin rastro de sangre ni de violencia, preguntando semiinconsciente si era lo que se esperaba, pensé que el doctor se había equivocado. Ovidio Pozas empero, me aclaró que la intervención estaba reciente aún, que el desequilibrio no se produciría mientras no cediese el traumatismo operatorio.

Minutos más tarde, cuando nos reunimos en un merendero próximo para comer algo, las palabras de Ovidio me rechinaban en el estómago, pero todavía conservaba alguna esperanza. En la vida había conocido casos de enfermedades que tomaban giros inesperados, ajenos a las previsiones médicas. ¿No podía ser éste uno de ellos? En el fondo, en lo que confiaba era en la capacidad de tu madre para sorprender, para hacer lo contrario de lo que la gente esperaba que hiciese. Y es curioso, pero durante los breves minutos que permanecí ausente de la clínica, únicamente pensé en su nervio facial, no en la posibilidad de que muriera. No temía que se fuera, sino que nos la cambiasen. La gente, pensaba yo, no se muere así. La operación había sido un éxito, el tumor raído y ella había hablado después con la mayor coherencia, ¿cómo pensar que se pudiera morir? De ahí que cuando Pablo, tu hermano, me sonrió aliviado, yo continuaba temiendo únicamente que la UVI pudiera devolvernos una mujer distinta, no que se quedase con ella. No pude comer, tomé una taza de té y corrí de nuevo a la clínica. ¿Qué me empujó a escapar, a volver allí con esa celeridad? Algo tiraba de mí pero ignoraba lo que era. De repente lo supe cuando sonó insistentemente el timbre del teléfono: Sí, yo soy, dije. Volví a repetirlo. Sonaba un zumbido extraño. Por detrás oí la voz de Ovidio Pozas, que hablaba por encargo del cirujano: Un imprevisto; un infarto del tronco cerebral. La han bajado inconsciente al quirófano, dijo de un tirón. Oí mi voz en un tono quejumbroso de protesta: ¿Quieres decir que le han abierto la cabeza otra vez? A partir de ahí pierdo la claridad de mis recuerdos; todo está como entre nieblas. Veo gente en fila, rostros graves, grupos oscuros en el vestíbulo, y me oigo repetir, una vez tras otra, como un autómata: Un infarto del tronco cerebral. La están operando de nuevo. Ahora lamentaba mi resistencia a aceptarla con el nervio roto, y, en mi fuero interno, atribuía la recaída a mi aspiración de recobrarla intacta. Esta sensación de fracaso, de verme de pronto sin nada por haberlo deseado todo, era una sensación que ya había experimentado de niño, una especie de castigo a mi ambición. Al anochecer volvieron a subirla a la UVI. ¿Ha recobrado el conocimiento? Ovidio se encogía: Todavía no. Hay que esperar. ¿Cuánto había que esperar? Alguien había difundido la noticia y la gente venía, preguntaba, profería las frases obligadas y volvía a marchar.

Todo estaba minuciosamente calculado. El doctor Calvo era un maestro en el arte de dosificar la información, de tal manera que, cuando se consumó todo, nadie se llamó a engaño; todos lo estábamos esperando. Durante unos días, la habitación 206 fue un velatorio sin muerto (el muerto todavía respiraba arriba, no se sabía cómo, en el piso superior). Primo se presentaba a primera hora de la mañana con sus periódicos bajo el brazo, se sentaba junto a la puerta y los iba hojeando, doblando las páginas ruidosamente. Era un velatorio sin muerto y sin tiempo, por lo que las hojas que Primo iba pasando en períodos regulares constituían una especie de medida, facilitaban una idea de temporalidad. Las noticias iban empeorando con mucha lentitud, ensombreciendo la espera pero dejando siempre abierta la puerta a la esperanza: Ha entrado en coma. ¿Sin recobrar el conocimiento? Ovidio bajaba la cabeza, lo admitía como avergonzado. Para mí, coma y agonía eran una misma cosa y así se lo dije. Él se apresuró a aclarar conceptos: ¡No, por favor! Todos los días hay enfermos que salen del coma. Iba aprendiendo cosas sobre la muerte y la premuerte, sobre lo recuperable y lo irreversible: Las constantes son normales. ¿Quieres subir a verla? No me atreví. No podía imaginarla pasiva, ausente, sin palabras. Ahora deploro no haberlo hecho, no haberla acariciado sus mejillas todavía tibias. Pero no lo hice en su momento y, luego, cada hora se me hacía más difícil. ¿Cómo podía nadie estar con ella si ella *no estaba*?

Primitivo llegó una mañana con la noticia de que Franco se estaba muriendo, de que había sido operado a la desesperada en las caballerizas de El Pardo. Los de San Julio lo confirmaron una hora más tarde: Ana todavía puede llegar, dijeron. Se estableció un macabro pugilato a ver quién terminaba antes. Nadie expresaba esta idea pero gravitaba en el ambiente. Mas las horas de la muerte son lentas y, en aquella prolongada incertidumbre, resolví ir a verte para darte cuenta de su estado. No despegaste los labios; no dijiste una palabra. Únicamente te bajó el brillo de la mirada; los ojos se te pusieron mates y sumidos como los de los reos en capilla. Al marcharme, apenas tenías voz: Por favor, cuida de la niña, me dijiste.

Caí en una fase de inhibición, aunque en el taxi, como cada vez que me alejaba de la enferma, surgió una absurda esperanza, la ilusión de que, durante mi ausencia, algo impensado hubiera sucedido allí. Pero ¿qué podía suceder? Al llegar a la habitación, todo seguía lo mismo: tus hermanos recostados en la cama vacía, a la espera, el silencio gravitando sobre el grupo, mientras Primo concertaba el paso del tiempo, hojeando ruidosamente los periódicos. De vez en cuando, como cada mañana, o como cada tarde, alguien entraba o salía de la habitación, llegaba Ovidio con una mínima novedad o se anunciaba el equipo médico. Y, al caer la noche, los tíos Concha y Juan me traían alguna cosa de comer y, al acabar, me iba a la cafetería y me tomaba un valium de diez con dos vasos de vino de postre. Esta combinación, tan denostada por los médicos, producía efectos prodigiosos: me serenaba y, simultáneamente, ahuecaba mi cuerpo, lo tornaba leve y flotante. En ese momento, el único del día, todo volvía a ser posible; la vida y la muerte estaban en el filo de una navaja.

La penúltima noche, al subir de la cafetería, encontré al doctor Calvo acompañado por Julio Bartolomé, que había venido a verme. La faz del doctor estaba yesosa, desencajada; se miraba las puntas de los pies en el momento de hablarme: El electroencefalograma ha dado plano, dijo brumosamente, como si algo se hubiera producido a pesar de sus órdenes en contrario. ¿Plano? Su cerebro no tiene actividad, aclaró. Yo miraba a Julio implorante, pero él escuchaba también, en silencio, el informe del doctor. Me quedé sin palabras pese a acabar de ingerir mi combinación infalible, pero Nicolás, que se había incorporado al grupo, preguntó si la situación era irreversible, a lo que el doctor Calvo replicó que eso nunca podía decirse en medicina, puesto que siempre existiría alguien que había vuelto de un electroencefalograma plano, pero, puestos a determinar porcentajes, las posibilidades de recuperación no pasarían de uno entre mil.

Seguía durmiendo en el catre, bajo la ventana y tus hermanos se turnaban para acompañarme. Había estado tranquilo en su compañía, pero, tras el último informe, me hundí en el torpor de los sedantes, en el sueño alucinado de la infame combinación. La última noche sufrí extrañas pesadillas de muñecas articuladas con relojes-despertadores en el hueco del corazón. Una de estas muñecas reía con carcajadas astilladas cada vez que atrapaba una de las pelotitas blancas que el doctor Calvo le lanzaba desde detrás de la mesa del doctor Gil; pero, en un determinado momento, una pelota escapó a su control y cayó al suelo dando botes. En ese instante el timbre del despertador se disparó y empezó a sonar con estridencia. El doctor se levantó tranquilamente, pulsó el resorte y se hizo el silencio de nuevo, tan denso esta vez que yo debí de gritar porque al abrir los ojos vi luz y el rostro inquieto de Martín a mi lado: ¿Te ocurre algo? Miraba por encima de su cabeza la lámpara funcional, los muebles lacados de blanco, las paredes blancas. Trataba de orientarme. Una pesadilla, dije. Me incorporé y abrí una hoja de la ventana: ¿Qué hora es? Las cuatro y diez. Miraba a la nada, al vacío, pero dije desolado: Una vez que nos hayamos hecho a la idea, el doctor parará su corazón como antes paró el despertador. Martín había agachado la cabeza y se resistía a hacerse cómplice de mi delirio: ¿Quieres dar un paseo?, me preguntó.

A las siete de esa misma tarde, sin aviso previo, vi venir el piquete de batas verdes, encabezado por la maciza figura del cirujano jefe, por el fondo del corredor en penumbra. El espectáculo no era nuevo, pero esa noche intuí: vienen a decirme que han parado el reloj. Y tan vívida era la sensación de escena repetida que sabía que al médico pelirrojo que avanzaba por la parte interna del pasillo, y cuyo cabello refulgía al pasar bajo los pilotos de las puertas, le chillaba un zapato. Y, a medida que se aproximaban, fue aumentando el crujido del zapato abotinado del médico pelirrojo, un crujido que acompasaba el paso, que era algo así como la música del desfile. Y al llegar a la altura de nuestro grupo, se detuvieron, el doctor Calvo giró media vuelta a la derecha, mientras los demás, Ovidio Pozas entre ellos, se situaban detrás, en su lugar descanso, guardándole las espaldas. El doctor Calvo se dirigía a mí (había una sombra en su mirada firme, como una perplejidad en su aguerrido porte castrense): Ha muerto, dijo. Hizo una pausa y agregó tras una vacilación: Ella nos pidió vivir y no hemos sabido complacerla. Lo siento. Se hizo el silencio y cerré los ojos. El crujido del zapato del médico pelirrojo, que se iba debilitando ahora, me hizo saber que el piquete se alejaba. Entonces abrí los ojos, y vi a Primo Lasquetti en el marco de la puerta ajustándose las patillas de las gafas. No me abrazó, ni me estrechó la mano; no pronunció una palabra. Simplemente se unió al grupo, una manera muy suya de mostrarse solidario. Entonces experimenté, por primera vez, una rara invalidez y le dije torpemente: Habíamos soñado con envejecer juntos. Algo le irritó; me echó encima su pesada mirada miope con manifiesta arrogancia: Olvídalo, dijo. Las mujeres como Ana no tienen derecho a envejecer. Aún quise decir algo digno de ella, algo apropiado a la circunstancia, pero tenía la cabeza confusa y la lengua trabada y no pude hablar. Fue tu hermana Alicia, al verme tan indefenso, la que se apiadó de mí. Me abrazó sollozando y dijo excitada: Primo tiene razón. Yo no soy capaz de imaginar a mamá con una máscara, babeando en un psiquiátrico o tullida durante el resto de su vida. Si la muerte es inevitable, ¿no habrá sido preferible así?

Este libro se acabó de imprimir
en Printer, S.A., Sant Vicenç dels Horts (Barcelona)
en el mes de noviembre de 1991